Contes irrévéro

Armand Silvestre

Alpha Editions

This edition published in 2023

ISBN : 9789357954884

Design and Setting By
Alpha Editions
www.alphaedis.com
Email - info@alphaedis.com

As per information held with us this book is in Public Domain.
This book is a reproduction of an important historical work. Alpha Editions uses the
best technology to reproduce historical work in the same manner it was first
published to preserve its original nature. Any marks or number seen are left
intentionally to preserve its true form.

Contents

L'INVITÉ

L'INVITÉ

Sur le mail planté de tilleuls, dont les feuilles agitent, dans le vent automnal, un petit cliquetis de cuivre, dominant la rivière où le reflet des peupliers sur l'autre rive échevelé de minces filets d'or, non loin de la statue du célèbre Gigomard, unique grand homme dont s'enorgueillisse la petite cité de Lafouillouze-en-Vexin, plus mélancolique à la fois que les tilleuls roux, les peupliers jaunes et le célèbre Gigomard dans son habit de bronze vert où les pigeons brodent de blanches passementeries, M. Rodamour, qui a choisi ce lieu charmant pour y prendre sa retraite, achève sa promenade accoutumée. Ayant, comme beaucoup d'imprudents, en cette perfide saison, oublié son paletot, il sent, dans ses vêtements trop légers, comme une chose grelottante qui est lui-même, le soleil ayant tout à coup disparu derrière la colline qui forme l'horizon occidental, et ne mettant plus qu'aux cimes des grands arbres de l'avenue un frisson de lumière flambante qui s'éteint dans un léger brouillard — telle une rangée de cierges quand la messe est finie.

Ancien conservateur des hypothèques au chef-lieu, doté d'une retraite suffisante à ses goûts, officier de l'instruction publique, M. Rodamour aurait, semble-t-il, tout ce qu'il faut, pour être heureux, à un homme qui n'a pas rêvé plus que cela dans la vie. Un veuvage, longtemps, mais patiemment attendu, a ajouté, à toutes ces faveurs du destin, les bienfaits d'une complète liberté.

Il a un bon chien sur ses talons, une bonne pipe au coin de son feu, il est suffisamment égoïste pour ne pas souffrir du mal des autres. En vérité, l'heureux bonhomme, la bourrique bourgeoise et fortunée que voila! Et cependant, M. Rodamour qui possède, en surcroît, un intellect assez borné pour défier les tortures de l'esprit, est plus mélancolique que les tilleuls roux, les peupliers jaunes et le vert Gigomard tout ensemble.

Depuis son arrivée dans la petite ville, il n'avait qu'une ambition: être invité à dîner chez le baron de Picpus, où se réunissaient, de temps en temps, en des agapes quasi-officielles, par leur solennité, les gens qui étaient censés constituer la bonne compagnie de la ville: ce qu'on est convenu d'appeler, en province, la société. On ne faisait pas partie du monde de la Lafouillouze-en-Vexin, quand on ne dînait pas chez le baron de Picpus, et l'hospitalité, sur invitations, de cet ancien préfet, une des gloires du 16 Mai, était quelque chose comme un titre de noblesse et comme un brevet de bon ton. Ce n'était pas seulement la vanité et la conscience de sa bonne éducation qui lui faisait souhaiter ardemment d'entrer dans cette aristocratie. M. Rodamour est, à la fois, très gourmand et très économe. Or, les dîners du baron de Picpus passaient pour de vraies fêtes gastronomiques. On renommait surtout les vins qui s'y buvaient et, plus d'une fois, par de belles nuits toutes frémissantes d'étoiles, on avait vu les convives s'égrener, à la sortie de la maison, en un chapelet brisé d'hilarités titubantes que se renvoyaient les murs.

Ces jours-là, on ne trouvait dans la ville, ni une volaille grasse, ni une pièce de gibier, ni une primeur. M. Rodamour se pourléchait moralement les babines de toutes ces goinfreries imaginaires pour lui, mais dont on parlait partout avec enthousiasme le lendemain. Faut-il dévoiler jusqu'au bout son âme? Eh bien! il était loin d'être insensible aux charmes dodus de madame la baronne, qui avait été une fort belle femme, et dont la maturité confortable valait encore certainement mieux qu'un tas de jeunesses étriquées. Car ce qui reste d'une beauté réelle est certainement préférable à la laideur la plus fraîche, et une rose, même en son déclin parfumé, est, pour sa tige, une plus belle parure que le cynorhodon qui vient à peine de se former. Et voilà pourquoi notre ancien conservateur avait si fort envie de fréquenter chez le baron et d'y trouver la table, sinon le lit, ayant toujours su d'ailleurs, comme on l'apprend dans l'administration française, modérer ses désirs.

Mais, en vain, il avait accumulé les visites et les politesses, les prévenances et les marques de sympathie respectueuses. La porte lui demeurait fermée. On ne l'invitait pas, et il croyait même avoir remarqué, avec une certaine douleur, que madame la baronne le regardait, dans la rue, avec un oeil qui n'avait rien de caressant.

Brrrr! il rentre donc chez lui, chassé du mail, avant l'heure coutumière, par un caprice subit de la température. Il va passer devant l'hôtel du baron, où de malheureux iris, plantés au-dessus des pilastres de la grande porte, flottent dans le vent subitement levé, comme les lanières d'un fouet. La grande porte s'ouvre et madame la baronne en sort dans une toilette merveilleusement seyante à son opulente personne, et secouant dans l'air les effluves délicats des parfums les plus mondains. Ses yeux rencontrent la silhouette de notre Rodamour et ne se chargent pas, comme à l'ordinaire, d'éclairs ironiques et sourds. Au contraire, on dirait que s'y peint une certaine joie de cette rencontre inattendue. Rodamour est bien près de s'évanouir d'émotion quand il la voit venir à lui, ses jolies mains, gantées de suède pâle, presque tendues vers les siennes, et il lui faut s'appuyer sur sa canne quand il l'entend lui dire, d'une voix plus que bienveillante dans l'accent: «—Cher monsieur, nous avons ce soir quelques amis à dîner. Voulez-vous nous faire, au baron et à moi, l'honneur d'être des nôtres?» M. Rodamour balbutie un remerciement éperdu. «—Nous comptons absolument sur vous», continue la grande dame en lui abandonnant sa jolie main gantée de suède pâle.

M. Rodamour était fou de joie. L'excès de sa félicité l'induisait même en de compromettantes rêveries. Cette invitation à brûle-pourpoint et comme dictée par un besoin impérieux de l'âme; cet abandon subit après tant de dédains apparents; ces dédains ne cachaient-ils pas une sympathie secrète, longtemps inavouée et vaguement criminelle? N'étaient-ils pas une ruse d'honnête personne défendant son honneur contre une passion sans merci? Il n'était plus jeune; mais elle, aussi, avait franchi les bornes de l'adolescence. Il était d'ailleurs bien conservé et l'on voit souvent les dames de province préférer des messieurs un peu mûrs, expérimentés et discrets, à des godelureaux compromettants. Je vous dis qu'il était fou. Des visions de repas sardanapalesques et d'amoureuses orgies hantaient le cerveau déséquilibré du vieux pasteur d'hypothèques. Il rentra chez lui et commença une toilette qui eût fait rêver l'ombre elle-même de Brummel. Pendant ce temps, Mme de Picpus était rentrée et avait dit à son mari: «—Ma foi, j'ai rencontré cette vieille bête de Rodamour, et, n'ayant pas eu le temps de trouver mieux, je l'ai invité. Nous ne serons pas treize à table. C'est l'essentiel. Dans ce cas-là, on fait le quatorzième comme on peut.» Et M. le baron lui avait répondu: «—Tu le mettras entre Mme Pévolant, qui bégaye, et Mlle des Haudriettes, qui est sourde comme un pot. Comme ça, il ne pourra pas causer et n'ennuyera personne.

L'heure du dîner est proche; madame la baronne, en un décolleté aimable, découvrant les splendeurs d'un automne encore ensoleillé, donne les derniers ordres, puis reçoit les premiers invités, les indiscrets qui volent, à la salle à manger et à l'office, les suprêmes et utiles coups d'oeil de la maîtresse de maison, espèce préjudiciable aux intérêts de tous. Madame la baronne n'en est pas moins infiniment gracieuse avec ces importuns, et la joie de recevoir—car elle est essentiellement mondaine—s'épanouit sur son visage délicieusement duveté de neige fine et odorante. Tout à coup, un domestique apporte une lettre sur un plateau.—«Vous permettez?—Comment donc?» Mme la baronne lit et pâlit. Puis, se rapprochant du baron qui fait de la sale politique au coin de la haute cheminée: «—Nous voilà bien! lui dit-elle tout bas. Cet imbécile de Bigoudi ne vient pas.—Alors, nous revoilà treize! Tu avais bien besoin d'inviter ce Rodamour!—Je l'ai fait pour le mieux. Lui ou un autre...—Pardon! un autre aurait été peut-être moins ennuyeux. Fais comme tu le voudras, mais je n'en veux plus.»

Madame la baronne sortit un instant en tapotant nerveusement ses jupes.

Cinq minutes après, un homme, ganté de frais, boitillant en des bottines vernies toutes neuves, un foulard tendu sur le plastron de sa chemise pour qu'elle ne fût froissée du vent, sonnait, d'un petit air tout ensemble timide et belliqueux, à la porte de l'hôtel. C'était notre Rodamour. Le même domestique, qui avait porté la lettre, le recevait, sans lui laisser franchir l'huis, malgré une bonne petite cinglée de givre dans l'air. «—Monsieur et madame la baronne sont désolés, lui disait-il, mais le dîner est décommandé.» En se retournant, abasourdi par cette nouvelle, M. Rodamour se heurte à un jeune pâtissier portant, sur la tête, une magnifique langouste en belle-vue, aux larges et savoureuses hosties saupoudrées de truffes, portant, comme Louis XIV, une perruque de laitue fraîche.

Sa situation est bien difficile à Lafouillouze-en-Vexin depuis cette triste soirée. Tout le monde sait que le dîner a eu lieu, et il avait conté à tout le monde qu'il y était invité. On commence à le soupçonner d'avoir eu quelque chose de louche dans son passé, d'avoir laissé échapper quelque hypothèque, par exemple. C'est tout au plus si on le salue. Plus que jamais, il dépasse, en mélancolie, les tilleuls roux, les peupliers jaunis et le vert Gigomard. Voltaire a eu raison de dire que la superstition avait été une source effroyable de maux pour l'humanité.

ANGÉLIQUE

ANGÉLIQUE

C'était un vrai gentilhomme que le marquis de Libersac, en son marquisat girondin de vieille souche, authentiquement allié aux plus grandes familles du Bordelais, mais vivant dans la retraite, pour ce que la modicité de son bien ne lui eût pas permis de faire bonne figure parmi ses pairs. Sa seule fortune consistait, en effet, en vignes, constituant, d'ailleurs, un clos justement renommé, mais de petite étendue. Il vivait donc uniquement du produit de la vente de son vin, ce qui rappelle de loin seulement les occupations héroïques des preux et des croisés dont le sang coulait dans ses veines. Mon Dieu! eût-il été peut-être très capable aussi de tenter, pour sa foi, quelque périlleuse aventure. Mais, marié jeune, et veuf peu de temps après, il se devait à sa fille Angélique, laquelle était digne, d'ailleurs, de tous les dévouements, même les plus bourgeois, c'est-à-dire quelquefois les plus malaisés en ce monde. Avec elle, il habitait le vieux manoir de ses aïeux, très délabré, mais dénué de ce pittoresque grandiose qui fait certaines ruines plus grandes encore que ce qu'elles ont remplacé. Le ciel avait décidément refusé les sublimes colères de sa foudre à la tempête, où toutes les grandeurs de la race du marquis avaient disparu.

Mais Mlle Angélique avait fleuri les murailles nues de mille plantes grimpantes qui leur faisaient comme un estival vêtement, aristoloches, gobéas, volubilis, capucines, s'enlaçant et se perdant au feuillage des vignes vierges que septembre ensanglantait sous le vol alangui déjà des papillons et des abeilles. Elle-même était, d'ailleurs, la poésie vivante de ce mélancolique séjour, en l'épanouissement triomphant de sa vingtième année, très brune de cheveux, avec la peau volontiers caressée de reflets d'argent et d'azur, ouvrant sur la vie deux yeux clairs aux transparences ingénues et intérieurement jaspés d'or, souriante aux choses de toute la blancheur de ses dents petites et égales, et de toute la pourpre de ses lèvres délicieusement retroussées aux coins; plutôt grande que petite, de prestance abondante, les doigts fuselés comme s'ils étaient sculptés plutôt dans l'ivoire que dans le marbre, les pieds cambrés et de très aristocratique dessin. Ce très noble ensemble plastique logeait une âme bienveillante et douce, tout à fait aimante et faite pour les loyales affections dont les heureux font leur bonheur facile. C'était donc une pensée cruelle, non pas seulement pour elle, mais pour ceux qui la pouvaient connaître, qu'elle ne se dût pas marier. Où, en effet, eût-elle trouvé un mari, son père n'ayant d'autre compagnie que ses vignerons et de rares valets? Ainsi, selon toutes les probabilités, cette belle fleur de jeunesse devait lentement se défraîchir, sans rien donner, qu'à l'air indifférent qui passe, de sa beauté et de son parfum—telle l'églantine sauvage qu'aucune main d'amoureux ne cueille.

Il était cependant quelques visites que le marquis, malgré sa volonté d'isolement, était bien obligé de recevoir, celles qui étaient relatives à son commerce, les visites des commis-voyageurs en vins et des acheteurs de récoltes avec qui il était en relations. Force lui était même de les recevoir avec infiniment de courtoisie, d'inviter à dîner des gens fort communs d'ordinaire, voire de les garder quelquefois à coucher, le château de Libersac étant lointain de toute station de chemin de fer. Avec beaucoup moins de contrainte réelle que son père, Mlle Angélique faisait, à ses hôtes forcés, un accueil obligeant et cordial. Au fond, elle y faisait fort peu d'attention, mieux disposée, si elle eût analysé ses propres sentiments, à s'intéresser à quelque paysan beau et jeune, un peu farouche et timide, qu'à ces godelureaux des villes qui bavardent de tout. Quant au marquis, il les laissait parler à leur aise, ne s'imaginant pas tout le plaisir qu'il leur faisait. Car la plupart des hommes, sans excepter Coquelin Cadet, mon vieil ami, sont, au fond, des monologuistes qu'on ennuie toujours en les interrompant.

Celui-là différait sensiblement du *Vulgum pecus* de ces visiteurs aux périodiques venues; non pas qu'il fût moins cyniquement plébéien, mais avec des allures moins étroitement citadines. C'était, dans toute la force du terme, un beau gars au teint d'olive sous sa chevelure crespelée, robustement taillé, plutôt habillé à la bonne franquette que correctement enfermé dans des jaquettes à la mode. Il avait le verbe haut, mais sans impertinence; quelquefois, d'ailleurs, devenait-il silencieux, ce qui gênait considérablement le marquis forcé de lui dire quelque chose pour ne pas laisser tomber la conversation. Il se nommait M. Antoine, et faisait non la commission, mais des achats de vins en gros pour son propre compte. Comme il tenait à visiter les récoltes sur pied, ses visites duraient plus longtemps que celles des simples voyageurs.

Donc, quand, mis par des tiers en relations, pour la première fois, avec M. de Libersac, il arriva au château, celui-ci se montra, avec lui, plus courtoisement hospitalier que jamais. Il lui donna une des meilleures chambres de la maison et ne lui ménagea aucune des attentions intéressées qui pouvaient aboutir à une grosse affaire. Le gentilhomme se mit visiblement en frais. Le premier jour, après une longue visite aux vignes littéralement ployantes sous leur savoureux fardeau, on organisa une façon de partie de pêche pour distraire l'étranger. Un ruisseau charmant coulait au bas de la propriété, plein de petites truites et d'écrevisses. On y descendit au soleil couchant et on en revint avec un buisson d'une part et une friture de l'autre. Le dîner fut presque gai et Mlle Angélique y parla, ce qui lui arrivait bien rarement en pareilles occurrences. Or, plus avant dans le soir, quand l'hôte eut été conduit à sa chambre, elle demeura, auprès de son père, si visiblement mélancolique et troublée que celui-ci lui en demanda la raison. Elle répondit d'abord vaguement et quelques généralités sur la situation vraiment triste des jeunes filles qui ont la vocation certaine du mariage et y doivent renoncer pour des convenances sociales. Puis, insensiblement, elle précisa, et avec une ingénuité charmante, une loyauté instinctive et une horreur naturelle de la dissimulation, elle fit comprendre à son père que M. Antoine serait un mari qui ne lui déplairait en rien. Le gentilhomme eut un sourire amer et un léger haussement d'épaules. Mais, sans y faire attention, elle continua, insistant sur ce que cette union aurait de raisonnable et donnant elle-même, à cela, de très raisonnables motifs.

—Ma chère enfant, lui dit, à la fin, M. de Libersac impatienté, en admettant que je sois prêt à sacrifier, pour ton bonheur, mes répugnances naturelles à une mésalliance évidente—et peut-être y suis-je prêt, tant je t'aime!—la chose ne serait pas moins impossible. Tu n'exigeras pas que je me jette à la tête de ce monsieur, que j'entame, le premier, les négociations sur un pareil point. Eh bien! jamais un homme qui s'appelle M. Antoine n'osera concevoir l'idée de demander la main de la fille du marquis de Libersac. Nous n'avons plus d'argent, nous, la noblesse; mais le prestige nous reste, immense encore devant les gens de rien.

Et sur ce discours, Mlle Angélique s'alla coucher, plus mélancolique encore.

Le lendemain, après une nouvelle promenade aux ceps, il fallait occuper le temps de l'étranger jusqu'au dîner que suivrait immédiatement le départ. Ne sachant qu'inventer, M. de Libersac le conduisit dans une grande galerie qui lui servait de cabinet de travail. Des portraits d'aïeux étaient pendus aux murailles, alternant avec des morceaux de vieilles tapisseries. Comme dans la scène célèbre d'*Hernani*, M. de Libersac, qui n'avait jamais eu un tel penchant aux confidences, commença de faire, à son hôte, la nomenclature de ces gloires familiales: «—Celui-ci, fit-il, est Gontran de Libersac qui mourut à la troisième croisade; celui-là est Bernard de Libersac qui mit à mort plus de trois mille Albigeois; cet autre est Marcel de Libersac qui fut remarqué du roi dans les massacres de la Saint-Barthélemy; cet autre encore est Barnabé de Libersac qui eut le nez coupé par une hallebarde au siège de La Rochelle; voilà Pierre Barthélemy de Libersac, capitaine des arquebusiers au siège de Calais; voici Gaspard de Libersac qui commandait à Fontenoy.»

Cependant, comme le gentilhomme tournait, avec un enthousiasme véhément, les pages de ce Bottin glorieux, M. Antoine, les mains dans ses poches, regardait en l'air, ses bajoues insensiblement remuées par quelque gavotte qu'il se sifflait intérieurement. M. de Libersac s'en aperçut et, un peu décontenancé: «—Pardon, Monsieur, fit-il, mais je vous parle là de choses qui n'ont pas l'air de vous intéresser bien vivement.»

Avec une rondeur charmante, M. Antoine, sur un ton respectueux toutefois, lui répondit:

—Que voulez-vous, Monsieur le marquis, pour être franc, je me f...iche de mes propres aïeux. Alors, vous pensez si je me f...iche des vôtres.

A cette impertinence ingénue, Monsieur le marquis, furieux, allait vertement répondre, quand Mlle Angélique qui se trouvait, comme par hasard, derrière la porte, bondit toute joyeuse et, prenant les mains de l'insolent: «—Ah! Monsieur, fit-elle, merci!»

Et Mlle Angélique est aujourd'hui Mme Antoine, et la souche des Antoine pousse, grâce à elle, de nouveaux rameaux, cependant que meurt, à jamais dépouillée par l'automne, la dernière branche de l'arbre, jadis illustre, des Libersac!

EMBALLÉ

Ils me tiennent au coeur, à moi, ces pauvres forains qu'on persécute. Parce qu'ils empêchent quelques bourgeois de dormir, on leur voudrait retirer la royauté de Paris, où ils règnent maintenant toute l'année, transportant, de quartier en quartier, le chargement de leurs roulottes, gaieté des boulevards extérieurs, délices des places lointaines. Moi qui les aime, je revendique leur droit, pour eux, à amuser les badauds, dont je suis. Je leur dois les plus pures joies de mon enfance et quelques très bons instants de ma maturité. Que de fois, au bruissement des cymbales, aux grondements de la grosse caisse, au mugissement du trombone, j'ai senti s'engourdir en moi quelque peine d'amour! J'ai même quelque peu aimé dans ce joli monde, et n'en rougis pas. Au demeurant, de tous les saltimbanques qu'il nous faut subir, les professionnels me paraissent les plus tolérables aux honnêtes gens.

Qu'avez-vous à objecter, je vous prie, aux chevaux de bois? Qu'ils marchent toujours sans faire aucun chemin? Alors, que direz-vous de la politique? Moi, je leur fais un reproche: celui de s'être américanisés et d'être devenus trop confortables. On y pose maintenant sur de vraies selles, avec de vraies brides dans les mains. Alors, autant aller tout de suite au Bois de Boulogne, sur de vrais chevaux! Vivent ceux de ma prime jeunesse, les vaillants chevaux de bois peints en rouge cru, avec des rênes peintes en bleu sur le cou, et une brosse sur ledit cou, qui vous donnait l'impression de monter un des héroïques coursiers du Parthénon.

Le manège Billedou, père et fils, qui tournait il y a quelques jours, place du Lion de Belfort, ne s'éloignait pas beaucoup de ce primitif et traditionnel modèle. Le prix du tour y était demeuré modestement de dix centimes, meilleur marché que l'omnibus, même sur l'impériale. Comme moteur vivant, il avait un cheval bai, une ancienne bête de sang qui prenait là de monotones invalides, bien qu'honorablement traitée par de bonnes et humaines gens qui l'appelaient Bijou et ne le frappaient jamais. Il n'y eût pas fait bon, d'ailleurs. La bête était susceptible encore de fringance momentanée à la moindre caresse du fouet. Un passé de gentilhomme chevalin se révoltait, en elle, sous l'outrage. Pacifique à cela près, ayant accepté sa circulaire et insipide promenade entre les lazzis des lascars et les rires épais des bonnes, connaissant même si bien son métier qu'il s'arrêtait, de lui-même, quand son patron avait régulièrement gagné le montant de sa recette intermittente.

Et, ce jour-là, un dimanche, Bijou avait eu, à son déjeuner, un picotin de plus, parce que la besogne serait rude vraisemblablement. Et depuis deux heures déjà, il vous faisait tourner d'énormes charges de militaires, de petites commerçantes, de commis libérés et de voyous, de fillasses en cheveux et de jeunes gens en hautes casquettes, quand la société Pistache et Brisquet, on balade depuis le matin et qui faisait, en lacet chez les marchands de vins, un copieux lendemain de noces—une demoiselle Pistache ayant épousé un Brisquet, la veille, samedi—se précipita sur les tranquilles montures en sapin que Bijou guidait à travers l'espace, aux sons d'un orgue de Barbarie dont les tuyaux extérieurs semblaient une panoplie de seringues de cuivre, et dont l'âme souvent mouillée avait comme des grelottements dans la voix.

Et ce qu'ils étaient contents, et bruyants, et peu distingués! Ils avaient ri aux larmes en poussant des hurrahs quand, à grand'peine et aidée de trois personnes, Mlle Eulalie Brisquet, tante des jeunes époux, était parvenue à hisser sur un des chevaux, son formidable derrière; et ils avaient failli rendre leurs gorges, à force de s'esclaffer, quand Napoléon Pistache, cousin de la fiancée, avait écarté, en pincettes, autour du sien, ses longues guiboles qui pendaient à terre. Et le petit Mathias Brisquet, qui se tenait en hurlant, comme un singe, à la barre de fer accrochant son coursier; et la petite Mélanie Pistache, assise comme une reine et faisant ses embarras déjà, dans un petit carrosse peint en jaune clair!

Sauf deux places seulement, les deux chevaux confinant à l'orgue et qui avaient été jugés bons pour des sourds, la société Pistache et Brisquet occupait tout le manège Billedou père et fils, et la lourde machine, où des saucisses humaines semblaient pendues, allait se mettre en branle sur un coup de collier de Bijou, quand deux inconnus, deux étrangers, presque deux intrus, un homme et une femme, sautèrent sur les deux seuls chevaux encore vacants, et, tout aussitôt, s'enlacèrent dans les bras l'un de l'autre, avec les mauvaises façons de concubins sans vergogne, et tout à fait indignes d'entrer dans une aussi matrimoniale compagnie. Et de se donner des baisers tout haut, devant le monde, en s'appelant de leurs petits noms d'amants: Titine et Totor. Non! ça vous sentait l'irrégularité dans la vie à plein nez, jusqu'à la fripouille. Bijou venait de donner le coup de collier et l'orgue commençait de gueuler comme si on lui avait marché sur un pied, chose d'autant plus improbable qu'il n'en avait que trois. On s'amusait ferme dans la société Pistache et Brisquet, et moins honnêtement, mais plus encore, dans le couple Titine et Totor.

Et pendant ce temps-là, M. Eusèbe Pécrus promenait, à quelques pas de là, le long des baraques épanouies derrière la parade, une sérieuse mélancolie, regrettant fort, comme moi d'ailleurs, l'absence des femmes colosses, proscrites, aujourd'hui, et qui n'avaient pas leurs pareilles pour vous distraire d'un chagrin d'amour en vous faisant tâter leur «petit mollet». Chagrin d'amour et humiliation conjugale, tel était le double cas de M. Eusèbe Pécrus, ancien pharmacien de seconde classe, dont la femme Ernestine, née Lavesse, avait fichu le camp, il y avait trois ans déjà, avec son premier potard, Victor Pépin, accident qui avait projeté sur sa vie, jusque-là sans ennuis, une ombre douloureuse et fourchue. C'est au point que, par dégoût de tous les jeunes potards qui trompent leur patron en collaborant à des clystères, il avait quitté son commerce, vendu son fonds, et vivait, pensif mais à l'aise, du produit de ses empoisonnements passés, n'ayant d'autres distractions que celles des petits rentiers inoccupés; assidu, par conséquent, à toutes ces badauderies foraines, dont il ne faut tolérer la suppression à aucun prix.

Comment s'en vint-il se buter, marchant comme il faisait, un peu à l'aventure, contre le manège Billedou, père et fils, en pleine marche circulaire maintenant? ce sont ces hasards que les gens à qui ils profitent appellent: providence, et les autres: guignon. Toujours est-il qu'il poussa un cri et l'exclamation: Ah! canailles! en reconnaissant dans le couple Titine et Totor, lequel s'embrassait à tire-larigot, en passant devant lui, son infidèle épouse née Lavesse, et l'infâme potard Pépin, qui la lui avait ravie.—Attendez-un peu, gredins! ajouta-t-il encore en se pendant, comme un forcené, au petit carrosse peint en jaune clair où la petite Mélanie Pistache se mit à crier comme un jeune putois.

Mais Victor Pépin, qui n'était pas myope, avait vu le coup. Il fallait, à tout prix, accélérer la marche de la cavalerie de bois. La croupe de l'infortuné Bijou était à sa portée. Il y fit pleuvoir une grêle de coups de canne. J'ai dit que l'animal entendait mal la plaisanterie. Bijou, exaspéré de ce manque absolu d'égards, rua, puis se cabra, puis, chose inouïe dans les annales de ces pacifiques et ligneuses chevauchées, prit résolument le mors aux dents.

Alors, ce fut épouvantable. La société Pistache et Brisquet, emportée dans un mouvement vertigineux, dans une valse effrénée,—l'orgue, dont la manivelle était liée par une bielle au collier de Bijou, s'enrageant à son tour, et excitant la bête d'un vacarme de chaudron en délire,—fut prise d'une frousse indicible et qui se traduisait en cris inhumains. Le marié, Brisquet, avait perdu son gibus neuf; la jeune épouse, née Pistache, pendait, évanouie, à sa selle; la tante Eulalie, dont le pantalon avait craqué et dont les jupes balayaient le chignon, exhibait son pétard monstrueux à cinquante centimètres au-dessus de la licorne; le cousin Napoléon, renversé en arrière, avait noué ses pincettes au cou de son coursier; le petit Mathias, en grimpant après la barre, s'était accroché au baldaquin du couronnement. C'était abominable, vous dis-je. Et Totor continuait de battre la charge, d'une main, sur le dos de Bijou, tandis que, de l'autre, il retenait sur son coeur Titine, qui riait comme une bossue.

—Arrêtez-les! Arrêtez-les! Arrêtez-les! hurlait M. Eusèbe Pécrus, en gesticulant comme un fou.

Le brigadier Badoit et le sergent de ville Foiret s'approchèrent d'un air capable. Ayant remarqué, depuis longtemps, qu'il est infiniment moins dangereux d'arrêter un citoyen paisible que de se jeter à la tête d'un cheval emporté, ils n'hésitèrent pas à abattre une main solide, du poids d'un gigot d'agneau, sur chaque épaule de M. Eusèbe Pécrus.

—C'est vous, animal, fit le brigadier Badoit qui par vos cris incohérents et machiavéliques, avez fait emballer ce pacifique canasson.

—Que vous irez au poste, et tout de suite! continua le sergent de ville Foiret, en le poussant en avant.

Et, devant une foule approbatrice, ils emmenèrent M. Eusèbe Pécrus, abasourdi et muet d'étonnement, au commissariat où il fut, comme il convient, passé préalablement à tabac, dans un couloir, ayant hasardé une remarque «empreinte de rouspétance et d'anarchie», comme le dit fort bien le brigadier Badoit.

Pendant ce temps Bijou tourna un quart d'heure encore, puis manqua des quatre pieds, ce qui projeta la société Pistache et Brisquet par-dessus les têtes de ses chevaux. Totor, dont la canne était cassée, et Titine, qui riait toujours, comme une folle, ne se firent aucun mal. Il n'y a, décidément, de Dieu que pour les coeurs simples et purs.

PHONOGRAPHE

PHONOGRAPHE

A Robida.

En son sordide cabinet dont les araignées avaient tapissé les angles, et dont les rats avaient troué les murs, près de sa table où fumait, parmi les bouquins où s'enseigne l'économie, un plat encore tiède des haricots blancs qui constituaient son unique nourriture, ses longs doigts ramenés sur ses yeux et la paume de la main posée sur son nez crochu, le vieux milliardaire Peter Peterson s'abîmait, à la clarté fumeuse d'une lampe, en une indicible mélancolie. Un des plus riches des États-Unis, et certainement le plus avare des deux mondes, il avait conquis, en vingt-sept faillites dont quinze pouvaient, sans exagération, être qualifiées de frauduleuses, une immense fortune dont il ne jouissait en rien, mais qu'il lui était néanmoins tout à fait désagréable de quitter en môme temps que ce monde. N'ayant pas d'enfant, c'était à des enfants de collatéraux, dissimulant mal leur impatience d'hériter, que s'en irait cet immense bien.

Il n'avait d'ailleurs aucune illusion sur les sentiments affectueux du ménage Humphry, ni du ménage Ouweston, ni du célibataire Krokwess qui composaient cette descendance. Lui-même les haïssait cordialement, renonçant uniquement à les frustrer parce qu'il lui eût répugné davantage encore de faire une bonne action en laissant son argent aux pauvres. Son unique préoccupation était donc de leur rendre l'héritage désagréable par mille taquineries posthumes auxquelles se complaisait son invention naturelle. Il voulait, avant tout, leur éviter la joie de tripoter dans ses affaires, en mettant son testament à l'abri de toutes leurs atteintes, et son voeu le plus cher était d'ajourner leur félicité par quelque volonté d'outre-tombe qu'il leur fût impossible d'enfreindre. Mais en quel homme aurait-il assez de confiance, homme public ou ami sûr, pour lui donner en garde le précieux dépôt? Le ménage Humphry, ou le ménage Ouweston, ou le célibataire Krokwess auraient bientôt fait de le corrompre. On juge volontiers les autres par soi-même, et Peter Peterson, qui avait assez vécu pour s'estimer à sa propre valeur, possédait les meilleures raisons du monde d'avoir une fichue opinion de l'humanité.

Tout à coup, il se frappa le front, ce qui fit un bruit de castagnettes. Il avait trouvé, et un rire énorme grimaça sur ses gencives édentées, cependant que sa petite barbiche grise, en queue de moineau, dansait sur son menton décharné. Et, le lendemain matin, lui qui n'avait jamais fait de folies, il s'en fut acheter un phonographe Édison, chez le meilleur fabricant de New-York, et le fit transporter dans son sordide cabinet dont les araignées avaient tapissé les angles et dont les rats avaient troué les murs. Fort instruit de toutes les choses pratiques—son mépris des poètes et de la rêverie lui en avait fourni le moyen—Peter Peterson connaissait à merveille ce stupéfiant instrument qui emmagasine la parole humaine, et la restitue au commandement, en lui donnant seulement le petit accent des personnes enrhumées, ce qui ferait supposer qu'un des inconvénients de la mort, entre autres, est un perpétuel coryza. Aussi j'en sais qui mettent une coquetterie à ne rien confier, de leur voix harmonieuse, à cet appareil enrhumeur, n'est-ce pas, mon cher Paul Arène, toi qui n'as jamais voulu figurer dans le musée de causeurs à voix de Polichinelle de notre bon ami Mariani?

Mais Peter Peterson n'avait pas de ces délicatesses latines. Après s'être assuré que son phonographe fonctionnait comme il convient, il convoqua et réunit dans la pièce voisine de son cabinet, laquelle lui servait de salon—oh! combien indigemment meublé!—le ménage Humphry, le ménage Ouweston, le célibataire Krokwess, plus le solicitor Harris et un greffier, porteur de scellés. Après quoi, il leur tint ce langage, que je traduis fidèlement de l'anglais dont je ne sais pas un mot: «Estimés parents, gracieux solicitor, et vous, ineffable greffier, je sens que mon compte de jours mortels va être liquidé d'ici peu, et je me décide à mettre mes livres en règle avant de quitter ce comptoir de larmes, en exprimant, d'une façon indestructible, mes dernières volontés. Ce n'est à aucun de vous, malgré le grand cas que je fais de votre honnêteté, que j'entends les confier. Vous allez demeurer ici, sans vous dire, autant que possible, des choses désagréables, et sans vous disputer, par avance, mon bien, pendant que, dans mon cabinet à côté, je vais épancher ces confidences suprêmes dans oreille de cuivre d'un phonographe que j'ai acheté à cette intention, et qui les inscrira rigoureusement sous ma dictée, vous réservant le plaisir, mais un an seulement, entendez-vous, après mon trépas définitif, d'entendre ces doux aveux, de ma propre voix, ce qui vous donnera l'exquise illusion que je vis encore: c'est une attention gentille, n'est-ce pas?»

Le ménage Humphry, le ménage Ouweston et le célibataire Krokwess firent différentes grimaces imparfaitement approbatives, cependant que le solicitor Harris et le greffier Cacatoès applaudissaient franchement à l'originalité de l'idée. Puis, Peter Peterson sortit, referma avec soin la porte massive, laissa retomber une lourde couverture qui servait de portière et ne laissait filtrer aucun son entre les deux pièces; ensuite, se penchant vers la gueule du tromblon par où se versent les paroles dans l'enregistreur harmonieux, il commença d'y prononcer ses volontés dernières dont il avait médité la formule définitive depuis longtemps, accumulant toutes les formalités insupportables qui en pouvaient retarder l'effet, entassant les motifs de procès ultérieurs entre le ménage Humphry, le ménage Ouweston et le célibataire Krokwess, superposant les obstacles juridiques aux considérations blessantes pour chacun des cohéritiers, oeuvre patiente d'un homme de bien, qui serait charmé qu'on échangeât des calottes en famille, après son trépas. Et, quand il eut terminé, par une ironique prière au Dieu de toute justice et de toute bonté, en bon protestant qu'il était, il souleva la lourde couverture, rouvrit la porte massive et dit, gracieusement, à sos hôtes, enfermés jusque-là dans le salon: «Entrez!»

Quand le ménage Humphry, le ménage Ouweston, le célibataire Krokwess, légèrement émus et impatients se furent assis, comme ils avaient pu, dans les coins, effrayant fort, du bruit de leur pas, les pauvres rats qui avaient coutume de se promener tranquillement dans le cabinet, et accrochant à leurs cheveux les menues dentelles tissées par les araignées, au solicitor Harris et au greffier porteur de sceaux Cacatoès, demeurés debout, comme il convient à des serviteurs officiels de la Loi, Peter Peterson tint ce langage: «Monsieur le greffier, en présence de mes parents bien-aimés, et dont je ne soupçonne pas un seul instant la délicatesse, vous allez, s'il vous plaît, apposer vos sceaux sur ce parchemin, dont je vais fermer hermétiquement l'oreille de cuivre de ce phonographe, de façon que, sans les briser, personne n'y puisse plus faire parvenir aucun son; et vous, monsieur le solicitor, vous aller dresser, de tout cela, un acte authentique que mes adorés congénères se feront un vrai plaisir de signer.

Après quoi, je déposerai ce phonographe dans cette armoire que je fermerai de deux rubans solides maintenus également par les cachets légaux que vous voudrez bien apposer vous-même encore, monsieur le greffier, vous rappelant que vous encourriez la peine d'être pendu si vous commettiez la moindre irrégularité volontaire dans cette délicate opération. Enfin, il demeure convenu, chère postérité de mes frères et de mes soeurs, et messieurs les hommes publics, que dans un an seulement, jour pour jour, après celui où vous aurez le regret de me perdre, l'armoire sera ouverte, le phonographe délivré de son obturateur et mes volontés révélées, ce à quoi vous allez vous engager, sur l'honneur et par écrit, au bas de l'acte précité. J'ai dit.»

Et le ménage Humphry, le ménage Ouweston, le célibataire Krokwess, le greffier Cacatoës et le solicitor Harris ne se retirèrent que quand tout eût été fait comme Peter Peterson venait de le prescrire, le phonographe obturé et enfermé dans une armoire scellée au sceau de l'État.

Peter Peterson avait eu raison de prendre ses précautions. Huit jours après, il exhalait son âme coquette vers l'éternité, et sa famille mettait autant d'empressement à lui fermer les yeux qu'un bon calfat à boucher les trous par où une barque fait eau. Il avait demandé un enterrement très simple; mais ils trouvèrent moyen de le faire plus simple encore, si bien que tous les pauvres du quartier suivirent son convoi, par commisération, pensant que ce fût celui d'un plus pauvre qu'eux encore, cependant que quelques optimistes enragés murmuraient: «Voyez! on disait Peter Peterson avare et, certainement, il faisait en cachette beaucoup de bien, que tant de misérables assistent à ses funérailles.» Ah! les bourriques!

L'an d'épreuve, pour les héritiers de Peter Peterson, est révolu. Le ménage Humphry, le ménage Ouweston et le célibataire Krokwess sont fidèles au rendez-vous. Le solicitor Harris tient l'acte roulé dans sa main, et le greffier Cacatoès délie les sceaux, d'abord de l'armoire, puis du phonographe délivré. De ses mains expertes, il brise les cachets et enlève les rubans de toile solide. L'attention est à son comble. Une petite manoeuvre du solicitor, puis le phonographe va parler. Au milieu d'un silence, où l'on eût entendu un ciron se gratter, le solliciter Harris fit la petite manoeuvre. Un frôlement d'air prémonitoire annonça la venue de l'oracle. Peter Peterson va parler.... Il parle et voilà ce qu'il dit: «Prout! Prout! Prout! (*Mots impossibles à entendre, hachés qu'ils sont par une poignée de prouts.*) Prout! Prout! Prout! (*Nouveaux mots également scandés de prouts, qui les rendent insaisissables.*) Prout! Prout! Prout! Prout! Prout... et... ce fut tout, après avoir duré longtemps.

—Canaille! sale fumiste! hurlèrent à la fois le ménage Humphry, le ménage Ouweston et le célibataire Krokwess.

—C'est tout de même stupéfiant, fit le solicitor Harris, pendant que le greffier Cacatoès crevait de rire dans son mouchoir.

Machinalement, il souleva le phonographe, regarda dans l'oreille de cuivre, pencha l'instrument, et vit, avec stupéfaction, tomber, du tromblon confidentiel, le squelette d'un rat.

Un moment de réflexion et la scène fut reconstituée. Au moment où le brouhaha des parents, dans la pièce voisine, le jour du testament, avait effrayé les rats familiers qui grouillaient, d'ordinaire, dans le cabinet de l'avare, un de ces malheureux animaux s'était caché dans le tromblon et n'avait plus osé en sortir. Gonflé qu'il était de haricots, nourriture ordinaire et frugale de Peter Peterson que ces invités étranges partageaient avec lui, ce prisonnier avait mêlé ses soupirs de soulagement naturel aux paroles du testataire, en scandant, de sa détestable musique, les moindres syllabes; après quoi il avait été enfermé sous les scellés et était mort lamentablement de faim, deux fois captif, dans l'instrument et dans l'armoire!

Le testament fut déclaré nul. La succession de Peter Peterson s'en fut à l'État. Le ménage Humphry, le ménage Ouweston et le célibataire Krokwess n'en échangèrent pas moins des calottes, en s'accusant mutuellement d'avoir causé le désastre en faisant trop de bruit. Ainsi, le dernier rêve de Peter Peterson fut accompli.

LE HANNETON

LE HANNETON

I

Ils ont recommencé leur vacarme, alentour des tilleuls et des marronniers, les hannetons médiocrement harmonieux, stupidement sonores, mêlant aux délices de l'air du soir, d'inutiles et bruyantes bouffées de musique. Le hanneton n'est pas un poète, mais un bourgeois, un bourgeois conservateur, et les enfants ont fort bien observé qu'il ne se posait jamais que pour compter ses écus. Moi qui aime toutes les bêtes, je le hais avec sa petite redingote marron de propriétaire, ses rouflaquettes à la Louis-Philippe, dépassant des deux côtés de la tête, et sa casquette noire luisante comme une soie crasseuse. C'est une bête politique et réactionnaire.

Il bourdonne, dans les meetings aériens, un tas de chansonnettes royalistes et surannées. Après avoir fait semblant de mourir, il ressuscite en dessous, et boit, à pleines sèves nourricières, l'espoir des travailleurs qui cultivent les fraisiers. Voilà ce qu'est ce hanneton dont Topfer s'est fait un Dieu.

C'est une fatalité, souvent remarquée par les subtils, que les êtres qui se ressemblent le plus se tourmentent volontiers mutuellement. Au moral et même un peu au physique, rien ne ressemble plus à un hanneton que M.

Briquet. Lui aussi est bourgeois, conservateur, réactionnaire, porte volontiers un habit puce et une casquette sombre. Son dernier souvenir glorieux, dans l'histoire contemporaine, est celui du Seize-Mai, dont il fut et demeure un admirateur fervent. C'est au point que sa jolie villa de Pétenouille-en-Vexin est encore remplie de portraits du duc de Magenta. Et au bas de chacun de ces portraits, M. Briquet a inscrit, de sa main, en gros caractères, quelqu'une des belles et légendaires paroles, prononcées par le Maréchal, en de grandes occasions. Ce petit musée n'est pas d'un effet artistique louable, mais il affirme, chez son gardien, un sentiment de fidélité, trop rare en ce temps pour que j'aie envie de le plaisanter. Depuis l'effondrement du mémorable ministère dans lequel le grand-maître de l'Université n'aurait pu se retourner sans montrer le plus impertinent des anagrammes vivants, M. Briquet a dédaigneusement détourné ses regards du gouvernement des choses publiques. Et il consacre son temps précieux à quoi, en cette saison? A embêter les hannetons qu'il devrait considérer comme des frères. Muni d'un grossier filet à papillons, il les poursuit, le soir, jusque dans la paix des charmilles, les accumule, au mépris de toutes les lois du bien-être, dans d'anciennes boîtes de conserves maléolentes en diable. Et, le lendemain matin, il les emmène avec lui à la pêche et, transpercés d'un hameçon, les offre, au bout d'une ligne volante, à l'appétit des schwènes qui en sont particulièrement friands. Houp! le poisson tire, le crin casse et M. Briquet est content. Il s'en est fallu de rien qu'il attrapât le plus gros schwène de la rivière.

Innocente manie! direz-vous. Pas tant que ça, bonnes gens. Dans sa passion pour de problématiques fritures, il n'embête pas les hannetons seulement, mais toute la maison qu'il remplit de hannetons quand il ferme insuffisamment ses boîtes. On en trouve partout, dans les escaliers, dans les couloirs, dans les chambres, dans les buffets, dans les huches, dans les encriers aux bords couverts d'hiéroglyphes. Et si vous croyez que ça amuse Mme Briquet et que ça ragoût les invités! Zut! pour les invités. Mais Mme Briquet aurait droit à plus d'égards. C'est encore une fort belle femme et qui a fort bien employé le temps que mettent à se perfectionner les riveraines du beau fleuve de la trentaine. Est-elle sur ce bord-ci ou sur celui-là? Je n'en sais rien. Que ne se déshabille-t-elle pour sauter dans la rivière? Vous verriez, pétardièrement parlant, une des plus rares merveilles de ce temps et penseriez à un ballon que le caprice d'un archange aurait gonflé dans un pétale de lys. Car vous savez que les lys paradisiaques sont beaucoup plus grands que les nôtres, et qu'on pourrait fort bien s'y tailler une culotte pour la Fête-Dieu. Mais tout le reste de Mme Briquet est à l'avenant de ce mitan somptueux, les menus divertissements de la gorge, le miracle de deux jambes dont une Diane sédentaire se fut contentée, et mille autres charmes encore, tels qu'un visage d'ovale joyeux, des yeux de jaspe clair et une bouche bien en chair de rose, sans omettre une belle chevelure brune envoûtée comme celles des Bacchus adolescents. Quoi! tant de trésors pour cette bourrique de Briquet? Allons donc! Vous ne souffririez pas un instant que ce bélître ne fût, comme le dit un vers de Glatigny:

Cocu, selon son état!

qui, par malheur, est souvent le nôtre.

II

Oh! l'admirable matinée de mai! Une vapeur d'argent court sur la petite rivière, se déchirant aux peupliers, s'enroulant aux saules comme de grandes toiles d'araignée, traînant sur l'eau comme la jupe transparente d'une fée. Le céleste cuisinier qui veille à l'Orient confectionne, à l'horizon, une majestueuse omelette, où, comme le jaune d'un oeuf immense, s'écrabouille le soleil, cependant qu'une dernière étoile rentre, comme une souris d'argent, dans son trou d'azur, et que, sur les pierres luisantes de rosée, la bergeronnette bat, avec sa longue queue, la mesure aux libellules dont les ailes, encore ensommeillées, font un petit bruit de vitre en passant. C'est l'heure enchanteresse où l'âme des réveils met dans les feuillages comme un souffle de baisers, où le parfum des fleurs s'avive aux tiédeurs de l'aurore, où l'eau très pure dans laquelle se reflète le vol des oiseaux, semble s'emplir aussi de leur gazouillement cristallin. Pas le moindre petit nuage n'obscurcit le ciel radieux de Pétenouille-en-Vexin.

A vrai dire, la splendeur du paysage y est cependant bien compromise par la ridicule silhouette de M. Briquet, secouant ses hannetons sous le nez des schwènes, et contrariant, du caprice de sa gaule, la belle et rythmique ondulation des saulaies frémissantes dont un souffle mêle les pleurs vivants en cascades aériennes, toutes scintillantes d'émeraudes. Ce que les papillons se moquent de lui, en croisant, dans l'air, leurs ailes de soufre! Et le merle, donc, l'éternel siffleur au sifflet jaune, qui sautille dans les mousses! Mais M. Briquet est sourd à ces railleries de la Nature. Tous les schwènes ont accepté ses hannetons, en manière d'apéritif. Mais aucun ne pense à lui rendre son dîner, en se laissant prendre.

E, dans le joli boudoir de Mme Briquet, aux persiennes encore rapprochées, il fait aussi une température délicieuse et qui n'est pas perdue pour tout le monde. Mme Briquet a été, en effet, presque aussi matinale que son mari, et celui-ci n'avait pas franchi la porte du jardin, qu'elle était descendue, pieds nus, en chemise, dans ce coquet petit endroit, où l'attendait un excellent canapé, et où le lieutenant Malitourne, un invité de la veille, l'allait venir rejoindre, cependant que toute la maisonnée dormait encore. Car, on savait que Monsieur ne reviendrait pas avant l'heure du déjeuner, que Madame détestait qu'on la réveillât, ce qui était, pour tout le domestique, une bien bonne raison de faire grasse matinée.

Vous ne comptez pas que je vais vous narrer, par le menu, les «cent mignardises», comme dit le doux Ronsard, qui occupèrent la durée de cette entrevue matinale entre une femme amoureuse et un lieutenant de dragons bien portant. Je n'ai jamais trouvé aucune douceur, en amour, à m'occuper du plaisir des autres, sinon pour l'envier bassement. Ce n'est pas, sans doute, sans quelque circonstance atténuante, que nos deux larrons de l'honneur d'un imbécile s'étaient assoupis, sur le grand canapé, encore vaguement enlacés en un délicieux sentiment de lassitude méritée. Le doux engourdissement de tout l'être qui nous vient ainsi d'une conscience d'amant satisfaite, et d'un beau corps bien tiède des dernières caresses voisinant encore avec le nôtre! En haut, par la rayure lumineuse des persiennes, un souffle léger apportait jusqu'à leurs lèvres les parfums du jardin mêlés à l'arôme vivant des cheveux dénoués de Mme Briquet.

III

—Ah! mon Dieu! fit tout à coup celle-ci, comme brusquement réveillée d'un rêve. Attrapez-le!

—Quoi donc! quoi donc! répondit le lieutenant Malitourne, secoué par un sursaut.

—Cette sale bête qui me grimpait aux jambes pendant que je dormais.

—Encore un hanneton que votre mari aura semé ici!

—Mais, cherchez! cherchez donc! Elle me montait comme ça... je sentais l'agacement de ses petites pattes sans avoir la force de me réveiller, le long de ma cuisse, montant, montant toujours... il faut cependant le trouver.

Et Mme Briquet s'était levée d'un bond, en secouant la blancheur de sa chemise autour de sa propre blancheur.

—Je n'en vois pas bien la nécessité, reprit le lieutenant, qui est un philosophe. Reviens donc, ma chérie.

—Sans savoir où il est! Ah! non!

—Parbleu! il se sera envolé, quand nous nous sommes réveillés.

—Eh bien! Alors, il doit être dans la pièce. Je ne me rassieds pas que nous ne l'ayions tué ou chassé!

Et le pauvre lieutenant, dont jamais les instincts cynégétiques n'avaient jamais été moins surexcités, dut se mettre en quête à travers les meubles et les rideaux. Mais rien! Rien! pas le moindre hanneton.

Quand, après cette infructueuse poursuite, il se retourna vers Mme Briquet, il trouva celle-ci comme hypnotisée, les yeux hébétés et grands ouverts, positivement ahurie et désespérée. Il suivit la direction fixe de son regard, et les siens rencontrèrent le portrait du Maréchal inexorablement pendu à la tenture et au-dessous duquel M. Briquet avait inscrit les paroles célèbres: «J'y suis, j'y reste!»

LA BOULE

LA BOULE

I

Le parc avait été dessiné par Le Nôtre. Par belles et larges avenues, il s'étendait majestueux, ménageant, çà et là, par un mirage perspectif, de beaux points de vue, soit qu'il découvrit soudain, au détour de quelque allée, le panorama lointain des campagnes de banlieue dans leur gaieté ensoleillée, toits rouges et bleus moutonnant le long des collines avec ses vergers de pommiers en fleur au printemps, soit qu'il montrât, tout à coup prochain, le fleuve aux eaux larges, que bordaient de hauts joncs pareils à des piques, soit qu'il déroulât, variant sa régularité architecturale, quelque dédale de verdure moins haute où s'acharnaient, avec un piaillement éperdu, les amours des petits oiseaux. Propriété, sans doute à l'origine, de quelque fermier général, homme de goût comme l'ont été beaucoup de ces fripons, tout y était demeuré à la mode du siècle dernier, délicieusement mythologique et surannée. Dans les carrefours d'ombre dont la lumière piquait le gazon de petites flèches d'or, des statues s'élevaient sur des socles arrondis ayant la forme d'outres. Déesses aux nudités triomphantes que de légères mousses rendaient, par endroits, impertinemment sensuelles et vivantes, demi-dieux portant des pommes et des massues, amours joufflus décochant d'immobiles traits. Près du bassin aux lotus écornés, des Termes, aux barbes envoluées, souriaient dans leur gaine de granit. Imaginez une façon de Luxembourg en miniature. Par-devant la maison, régulière comme une réduction du château de Versailles, de belles pelouses merveilleusement entretenues, des méandres d'allées, dessinées avec art et faisant serpenter par les ondulations de terrain leur étroit ruban de sable jaune, toutes bordées de géraniums, et enfermant des îlots d'iris hiératiques et tendres comme des lys païens.

Certes, tout ce qui était là, sous les yeux, était pour induire l'esprit en des régularités méthodiques et harmonieuses, et bien fait pour cette éducation du regard qui décide du sens artistique de toute notre vie. Car, croyez que les Anciens étaient sages qui la commençaient, pour l'enfant, même dans le ventre de la mère, et c'est avec l'art que nous devons respirer, dès nos premières années, le sentiment salutaire de la Beauté.

Donc, c'était grand bien, pour les deux enfants que nous rencontrons dans cet élégant paysage revu et corrigé par l'homme, que leur puérile tendresse l'eût comme décor. Liane avait six ans et Fernand huit. Ne me dites pas qu'on n'aime pas encore à cet âge. Vous auriez donc oublié bien d'innocentes perversités dont vos premières petites compagnes furent les complices. Moi, je me souviens, et je revois le délicieux petit tyran blond pour qui je déchirai tant de culottes aux ronces en cueillant une fleur souhaitée, pour qui je tombai plus d'une fois à l'eau, à la recherche d'un nénuphar, pour qui les plis d'une robe qui n'était pas prétexte encore, souvent se levèrent sur de mentoresques fessées. Car il paraît que j'étais déjà inconvenant. Plus innocent, en ses instinctives visées, était Fernand, je l'espère, et moins prématurément accueillante aux galants, Liane. Mais, en tout cas, c'était une délicieuse idylle que menaient ces chérubins dans le grand parc dessiné par Le Nôtre, le long des prairies tout émaillées de fleurs sauvages, où ils galopaient comme des chevreaux, au bord des sources dont les eaux claires rapprochaient leurs images en un frisson d'argent, à l'ombre des statues tutélaires dont leurs petites mains de vandales creusaient le socle, sous la mousse, avec des cailloux aigus, dans ce recueillement du passé et cette atmosphère de rêve. Ils avaient, charmants à voir, celui-ci avec sa chevelure brune et celle-là sous la poussière d'or que soulevait, autour de son front, le souffle des jeux, déjà les façons de Daphnis et de Chloé, cherchant déjà mieux que les joues pour y mettre des baisers, Fernand plein déjà d'adorations muettes et Liane de coquetteries affectueuses. Tout semblait concourir à éveiller, en eux, des âmes de poètes, le murmure des ruisseaux, la chanson du rossignol, cette tendresse des choses qui, malgré nous, nous pénètre. L'épilogue n'eût pas été complète si un honnête et délicieux roman n'en eût été le but. Très sérieusement, on parlait, devant eux et dans leur entourage, de les marier ensemble. Je ne vous cacherai même pas qu'ils étaient fiancés en secret et avaient échangé les premiers serments, confirmés par les gages les plus précieux. Ici une aile de scarabée ayant l'éclat d'un bijou, de l'autre part, un caillou brillant comme un morceau de corail.

II

Ah! quelle fichue idée eut M. Bittermol de venir passer une journée dominicale dans ce séjour hospitalier! Après avoir trouvé l'ordonnance majestueuse du parc quelque peu monotone, blâmé des horizons qui ôtaient de l'intimité à la propriété, raillé les dieux immortels qui poursuivaient, sous les hauts ombrages, leur rêve de pierre, trouvé la pelouse nue et la bordure des allées criardes avec ses notes de velours pourpres et roux, ne proposa-t-il pas à la douairière des Étoupettes, légitime propriétaire de ces lieux, d'égayer un peu tout cela par quelques inventions à la moderne, comme en ont les bonnetiers enrichis dans leurs villas de Bougival ou de Chatou! Et la bonne dinde de douairière,—car, notez que le plus souvent les femmes n'ont pas de goût, en art, que par occasion,—d'accepter cette pitoyable idée, comme si sa propre personne pouvait en être rajeunie. Et, dès le dimanche suivant, ce fut un commencement de métamorphose dans le sens de l'embourgeoisement. Le bel aspect de temple végétal aux colonnes vivantes du parc fut violé par un tas de mesquineries. Le caprice sans fantaisie succéda à l'harmonie, fille de la méditation. A cette belle ordonnance des chemins, à travers bois, on substitua les lacets incohérents d'un fil d'Ariane, dont un chat aurait pris plaisir à embrouiller le peloton. Mais c'est à la pelouse, qui s'étendait devant le jardin, que fut destinée la plus dégradante de ces profanations. Notre infâme Bittermol y installa une boule, une de ces boules de métal très miroitantes et polies qui reflètent tout le paysage ambiant et toutes les personnes qui les approchent, en les déformant hideusement, uniformément convexes et enfantant des monstres et des caricatures dont les modèles, eux-mêmes, s'amusent quelquefois, au lieu de s'indigner, en se voyant un nez plus gros que tout le visage et un ventre de potiron planté sur deux allumettes.

Ah! pour le coup, M. Bittermol dut être content. Il avait bien déshonoré ce magnifique tapis de verdure tendre. Il avait fourré un peu de son âme abominable de vaudevilliste dans ce poème touchant de nature, dans ce virgilien décor fait pour les tendresses précoces ou attardées. Mais jusqu'où alla son crime, vous ne le devinez pas encore, et c'est tout au plus si le courage me demeure de vous le révéler.

III

C'était à l'heure, déclinante encore à peine et tout à fait exquisément, où les ardeurs méridiennes n'ayant laissé dans l'air que de délicieuses tiédeurs, les ombres des grands arbres s'allongent plus obliques, cependant, qu'à l'horizon, le soleil descend dans une buée d'or, épuisant ses dernières splendeurs occidentales en une voluptueuse caresse de sa mourante lumière, traînant par les eaux courantes, des ruisseaux de son sang divin, mettant une crête rose aux cimes, une crête vibrante comme une insensible fumée. Comme Bittermol, en même temps que sa laideur, avait répandu la bêtise à profusion, autour de lui, tous les hôtes de la douairière des Étoupettes, au lieu de savourer, en quelques méditations silencieuses, cette mélancolie des choses à l'approche du soir et devant le lever d'argent des étoiles, s'en étaient allés jouer, sur une façon de piste anglaise découpée derrière la maison, à quelqu'un de ces jeux sportifs et mondains à outrance où ne se développe pas précisément le génie des races. Seuls, Liane et Fernand, que la corruption générale conjurés par leur tendresse ingénue n'avait pas encore atteints, étaient demeurés sur la pelouse, où de frisantes clartés soulevaient comme une floraison artificielle, à se promener les cheveux mêlés, les mains enlacées, et souvent la bouche bien près de la bouche, si bien qu'une abeille n'eût su laquelle de ces deux roses choisir. Et, bien qu'ils fussent tout près de la boule, abominable présent de Bittermol, ils avaient vraiment bien autre chose à se dire qu'à se montrer, l'un à l'autre, leurs jolis visages défigurés, et ils n'y faisaient vraiment pas plus attention qu'un couple de papillons à une pomme. Tout près, tout près ils passaient cependant et presque au pied, en leur quasi-amoureuse promenade; lors, sur une touffe d'herbe humide encore de rosée, Liane, en un faux mouvement, tomba, ses petites mains en avant, sur le ventre, sa jupe et sa chemise s'étant malencontreusement soulevées par derrière, en cette chute d'ailleurs sans danger. Toute riante, elle se releva, mais sans rabattre immédiatement sa chemise et pas assez vite pour que Fernand, en courant à son secours, n'aperçût, en une rapide vision, le derrière de sa petite amie, amplifié par la boule miroitante, en de monstrueuses proportions. Ce ne fut qu'un éclair, qu'une seconde de rêve, mais qui dévia instantanément, du coup, son esthétique et en fit le martyre d'une obsession dont sa vie est encore empoisonnée. Aucune femme ne lui paraît plus belle et complète, depuis que son regard embrassa cet au delà des formes naturelles. Il a voyagé en Orient, causé avec des odalisques qui feraient éclater un fiacre. Tout ça demeure encore bien en deçà de ce qui lui fut révélé en cette fatale soirée. Il a, en ce pétardier sujet, la folie des grosseurs, aussi inguérissable que l'autre. Inutile de vous dire qu'il a refusé d'épouser Liane, à moins que celle-ci ne consentît à avoir une boule, comme celle de la pelouse, pendue au ciel du lit nuptial, ce que cette honnête jeune fille refusa avec horreur et dégoût. C'est ce qu'il appelait, en son cynique langage, le multiplicateur conjugal. Il est désormais de ceux qui appartiennent à la fatalité, comme un héros des drames eschyliens, vivant par-delà la vie, les regards tournés vers un monde mystérieux, abîmé dans les suggestifs recueillements d'une chimère impossible. Entre d'insuffisantes réalités, il demeure solitaire et perdu dans son rêve. C'est bien triste, en vérité.

Et quelle leçon! Éternelle, et qui prouve bien que le manque de goût, et l'absence de sentiment d'art sont le grand péril social, la source de tous les maux, le chemin de tous les crimes.

CHABIROU

CHABIROU

I

Ce n'était pas sans une grande mélancolie que M. Campistrol méditait sur la sottise qu'il avait faite en se remariant. Le *non bis in idem* latin lui apparaissait comme la plus sage devise du monde. Sa première femme, Honorine, l'avait manifestement trompé; mais elle était jolie, ce qui lui donnait les circonstances atténuantes de la tentation et des hommages, et, de plus, elle avait un caractère charmant et cet esprit de justice qui cherche, en pareil cas, les compensations dans une grande égalité d'humeur. La seconde, Henriette, était de charmes moins évidents, plutôt malaisée à vivre qu'aimable, et il venait de découvrir que, vraisemblablement, elle le trompait aussi.

Le parallèle entre sa vie passée et sa vie présente ne donnait donc lieu qu'à des rapprochements déplaisants. Ce pendant que l'épouse en activité de service dormait tranquillement, après une scène de jalousie qui avait duré la moitié de la nuit, et lui avait mis, à lui, les nerfs dans un état épouvantable, il descendit, au petit matin, dans son jardin pour y puiser, dans le réveil de la nature, un élément d'apaisement et de consolation. C'était en un temps comme celui-ci où les aubes se hâtent, emmitouflées d'abord de brouillards roses, puis rougissantes comme un champ de cerises, vers des journées chaudes invitant les plus actifs aux siestes méridiennes. M. Campistrol, comme tous les malheureux, aimait les fleurs: il lui sembla que ses roses avaient un regard triste et compatissant, et c'est à une instinctive pitié qu'il attribua le pleur tremblant au fond de leurs corolles. Les grands lys penchés semblaient, aussi, fraternels douloureusement à sa peine et il n'est pas jusqu'aux pensées, en leur parterre de velours qui ne lui parussent sympathiques à son chagrin. De cette grande miséricorde des choses, infiniment meilleures assurément que les hommes, il savoura lentement la douceur, marchant à petits pas sur le sable des allées, et s'arrêtant à regarder les bourdons s'enfouir dans les calices et se rouler dans l'or des étamines.

Il descendit ainsi jusqu'à la petite rivière dont la tentation méchante ne lui vint pas de tourmenter les hôtes qui, dans la buée aurorale, se détendaient comme de petits arcs d'argent, en sautant sur l'eau. Il devenait bon lui-même, de la bonté universelle, et il n'était que sa seconde femme, Henriette, qui ne trouvât pas grâce devant sa mansuétude envers l'humanité. La pécore! Et il l'avait épousée sans dot, estimant que la reconnaissance lui inspirerait la fidélité! En quoi, il avait fait un jugement également téméraire et injurieux pour elle. Car la vertu qui s'achèterait cesserait d'être de la vertu. Je ne plains pas les maris trompés qui entendaient spéculer sur le sacrifice. Ruth eût trahi Booz que je ne lui en aurais pas voulu autrement.

Cependant, le soleil étant déjà monté au-dessus de l'horizon qu'il effleurait encore comme une roue de flammes aux jantes infinies et radieuses, il pensa que le facteur allait apporter les journaux et que la lecture de la politique lui pourrait inspirer un regain de philosophie. C'est un calmant que je conseille aux plus énervés. Il lirait tout, depuis la première jusqu'à la dernière page. Il y avait eu peut-être un peu de bruit à la Chambre, la veille. Ça ferait une diversion dans le courant obstiné de ses pensées. Impatient de ce passe-temps, il s'en fut lui-même à la porte quand sonna le facteur, ce qui lui arrivait souvent. Aussi ne reconnaissant pas l'ambassadeur ordinaire que lui dépêchait quotidiennement l'administration des postes, il lui demanda:—Est-ce que Chabirou est malade? L'intérimaire lui répondit:—Il a quitté le service depuis plusieurs jours que je le remplace, et nous n'en avons pas de nouvelles.—Tant pis! car c'était un facteur modèle! fit M. Campistrol en jetant un regard plutôt malveillant au nouveau venu.

Avec les journaux était une lettre dont l'écriture le fit tressaillir. Mais il haussa les épaules et la décacheta ensuite tranquillement. Mais il ne l'eut pas lue plus tôt, que ses cheveux se dressèrent, en éventail, sur sa tête, soulevant sa casquette d'horticulteur citadin, que ses mains se mirent à trembler et que ses yeux se couvrirent d'un voile, comme si un souffle de folie en diminuait l'éclat. Voilà ce qu'il avait lu:

> «Mon époux bien aimé, j'arriverai demain et te prie de m'attendre à la gare. Je reconnais mes torts et je sais, Anatole, combien tu es généreux. Nous ne parlerons plus, si tu le veux, d'un passé que je regrette et veux racheter par une définitive tendresse. L'avenir sourit encore à notre affection un instant troublée. Mais je te ferai oublier, si tu m'en donnes l'exemple en oubliant toi-même.
>
> «A demain, ô toi le seul que j'aie jamais aimé!
>
> «Ton épouse repentante,
>
> «HONORINE.»

Il regarda le timbre de la poste. Illisible. Le commencement du millésime seulement, 18—; il était bien avancé! La lettre venait de Marseille. Honorine l'avait certainement écrite en abordant. Car c'était incontestablement son écriture. Alors, elle n'était pas morte, comme on lui en avait donné la nouvelle! Alors, il était bigame! Mais de quelle intrigante, donc, lui avait-on fait payer les funérailles en Amérique? Quel acte de décès imaginaire lui avait transmis le consul, profitant lâchement de ce qu'il ne savait pas un mot d'anglais? C'était peut-être une note de bottier qu'on lui avait envoyée comme un acte de l'état civil. Honorine était vivante, c'était clair! Et il allait la revoir. Eh bien! quoique ce retour compliquât énormément la situation, il en était enchanté. Ça le débarrasserait d'Henriette. Ce qu'il allait la ficher à la porte comme une simple concubine! Et sans traîner, encore! Dans cette affectueuse pensée, rapidement il monta à la chambre conjugale, où Henriette dormait encore, dans l'ombre des rideaux tamisant à peine une vapeur de lumière.

—Tu sais, ma petite, lui dit-il en la pinçant brutalement, tu peux maintenant me tromper tant que tu voudras.

—Misérable! lui dit-elle en se frottant le bras.

—Ça ne compte pas, car nous ne sommes pas mariés.

—Eh bien! tant mieux! fit-elle, sans lui en demander davantage. Adieu les scrupules et vive la liberté!

Et elle s'en alla trouver le commandant des Houillères qui lui faisait depuis longtemps la cour et à qui, bien qu'en eût pensé cet animal de Campistrol, elle n'avait encore donné que des espérances.

—Je vous apporte une bonne nouvelle! lui dit-elle en entrant.

II

Mais le commandant des Houillères venait de recevoir comme un obus sur la tête. Elle le trouva positivement hébété, tenant une lettre ouverte dans sa main. Et comme elle lui demandait, avec anxiété, la cause de tant d'indifférence à leur commun bonheur, il lui tendit le papier, où elle lut à son tour:

«Mon cher neveu, puisque vous continuez à mener une vie de polichinelle, je vous donne avis que je me fais une pure joie de vous déshériter.

«Votre oncle affectionné,

«DE LA PÉTARDIÈRE.»

Elle avait souvent entendu parler de cet oncle au commandant.... Mais elle le croyait mort depuis trois ans à Valparaiso. Il était même mort certainement, puisque le commandant en avait hérité cinquante mille livres de rente, ce qui avait payé toutes ses dettes et lui avait permis de faire des projets de bonheur avec Henriette, quand il aurait décidé celle-ci à quitter son mari. Le legs n'était pas encore complètement liquidé, mais un notaire du pays lui avait avancé déjà des sommes considérables. Il avait d'ailleurs augmenté notablement son train de vie. Il allait être propre, maintenant! Tout cela était un cauchemar horrible. Mais non! C'était bien l'écriture de l'oncle et son authentique signature. Ah! l'enveloppe! bien! emportée dans le jardin par un coup de vent. La lettre était datée de Marseille... bon! datée de 1885! Mais l'oncle de la Pétardière était essentiellement distrait. Il n'en faisait jamais d'autres! Le commandant était non seulement ruiné du coup, mais pourvu de dettes pour le reste de ses jours. C'était un fameux moment pour se charger de Mme Campistrol! Il le fit comprendre à celle-ci qui sortit exaspérée de la mauvaise foi des hommes et du néant de leurs protestations d'amour.

Cependant, au second courrier de la journée, M. Campistrol voulut parler lui-même au facteur pour s'éclairer un peu. Mais ce n'était pas encore Chabirou qui apportait les lettres.

—Toujours malade, alors! dit-il de mauvaise humeur à son remplaçant.

Mais celui-ci prit un air mystérieux.

—Malade, non! Nous savons du nouveau, maintenant. Destitué.

—Lui! le modèle des facteurs! Et pourquoi cette injustice?

—Parce que son frère, également facteur, mais à Marseille, a déshonoré leur nom.

—Par exemple!

—Lisez plutôt, monsieur, à la troisième colonne du journal que je vous apporte avec votre correspondance.

Et pendant que l'intérimaire, la porte fermée, reprenait sa course, Campistrol chercha et lut:

> «Un sieur Chabirou, facteur de son état, vient de mourir à Marseille. Bien que cet homme ait toujours joui de l'estime de ses chefs, on s'aperçut qu'il avait dérobé, depuis dix ans, un nombre considérable de lettres. Toutes celles qui ont été retrouvées chez lui, et qui ne contenaient pas de valeurs, ont été retournées, par les soins de sa famille, à leurs destinataires. Les autres sont entre les mains de la justice.»

Le mystère était subitement éclairci. La lettre d'Honorine avait peut-être huit ans de date, et elle était morte authentiquement depuis, son mari ayant omis de l'aller chercher à la gare, ce qui lui avait paru le refus du pardon demandé. Mais alors Henriette redevenait sa vraie femme! Justement, elle venait chercher son bagage, furieuse contre des Houillères.—«Vous ne partez plus, lui dit Campistrol, nous sommes vraiment mariés!» Elle était encore à l'étonnement de cette nouvelle, quand un commissionnaire du commandant lui apporta ce mot: «—Tout s'explique par une note de journal. Mon oncle est bien mort. J'ai bien hérité! Viens!» M. et Mme Campistrol renvoyèrent, de concert, le commissionnaire avec un double coup de pied au derrière. Il en reçut un troisième encore du commandant pour lui apporter cette mauvaise nouvelle.

Et ce ne fut qu'une des mille aventures fâcheuses que causa le crime patient de cette canaille de Chabirou—celui de Marseille, s'entend.

LA SALIÈRE

LA SALIÈRE

Un conte gai dont les héros sont deux huissiers, ne saurait emprunter sa jovialité qu'à un grain de gauloiserie. Je demande donc, par avance, pardon aux belles dames qui me liront pour ce que le dénouement en est moins poétique que de coutume. Encore n'ai-je pas la ressource de le commencer par quelque idyllique morceau où sont louées la beauté des femmes et la douceur des roses. Le génie de Victor Hugo, lui-même, se fût épuisé à rendre lyriques, comme des guerriers d'Homère, ou délicieux, comme des bergers de Théocrite, de simples porteurs de protèts. Je m'en voudrais, d'ailleurs, de couronner de fleurs leurs ordes caricatures. Pour une fois, j'adjure solennellement mes générosités natives et je choisis cyniquement le moment où ils succombent sous l'exécration publique pour leur envoyer, quelque part, un coup de pied dont mon âne serait jaloux, par une manière d'histoire où ils sont sensiblement vilipendés. Non pas qu'ils m'aient fait personnellement souffrir, ce qui m'induirait peut-être en une ridicule miséricorde, un vieux fonds de christianisme dormant sous mes rêves païens. Mais je les ai si souvent entendu maudire par mes plus chers amis, et tant de mes meilleurs compagnons ont eu à gémir de leur hypocrite rapacité, que je me mets hardiment dans la croisade. J'entends contribuer à arracher à ces mécréants le Saint Sépulcre de la Justice, au risque d'attraper, comme le bon saint Louis, la gale en pénétrant dans leurs repaires empuantis de procédure et fleurant une poudreuse iniquité. Cette arrière-garde de l'armée des chicanons, qui est aux juges ce que les apothicaires sont aux médecins, avec cette différence que leurs instruments sont infiniment moins risibles que des seringues, ne trouvera aucune pitié devant moi. Et si je brûle un peu de sel en terminant ce récit où il est parlé d'elle, c'est que je n'ai pas de sucre sous la main.

Or donc, le bon sieur Anténor de Boutensac, baron de son état et Français redevenu quand les émigrés rentrèrent en France, aux jours réparateurs de la Restauration, réintégré d'ailleurs en sa terre seigneuriale de Boutensac, près Castelnaudary, et y ayant repris la vie joyeuse de ses nobles aïeux, avait pour cette gent une exécration tout à la fois excessive et justifiée. Notre sympathique voyageur, pendant les orages républicains et les gloires impériales, avait bien repris possession complète de ses titres et privilèges— au point qu'il réclamait le droit de jambage avec une obstination exagérée à son âge—et le Roi lui avait écrit une lettre dans laquelle il l'appelait mon cousin. Mais il avait fort peu de deniers à son service pour soutenir le train que son rang le forçait de reprendre dans sa province. Le milliard des émigrés ne figurait encore que sur le papier, et ce mirage à dettes faciles, pour les hobereaux rentrés en fonctions féodales, commençait à perdre un peu de son éclat. Les paysans relevaient la tête. Ils allaient bien à la messe, pour se faire estimer des autorités nouvelles; mais ils refusaient de fournir à crédit à leurs bons suzerains. Les bouchers, les charcutiers et les épiciers eux-mêmes—les moins insurgés des hommes, cependant—refusaient imperturbablement l'honneur de fournir les châteaux voisins. Ce n'était qu'une première étape dans la voie de l'impertinence démocratique. Bientôt, ceux qui s'étaient laissés aller à fournir des denrées impayées, poussèrent l'audace jusqu'à exiger des règlements, et quand les billets souscrits vinrent à échéance, ils osèrent, perdant tout respect traditionnel pour la race, confier à des huissiers le soin d'en assurer le paiement.

C'est là, d'ailleurs, que le bon sieur Anténor de Boutensac les attendait.

Il se rappela à temps comment ses nobles aïeux recevaient les vilains qui venaient demander de l'argent. Pourvu d'un domestique nombreux, il fit bâtonner les hommes de loi qui le tourmentaient pour ces vétilles. Tous les huissiers du pays connurent bientôt ce genre de paiement et en référèrent à la Justice. Mais celle-ci faisait la sourde oreille à leurs plaintes, la magistrature ayant été—comme cela se fait de temps en temps—soigneusement épurée de tous ses juges intègres et désintéressés, lesquels avaient été remplacés par des créatures du régime nouveau absolument partiales en faveur de la noblesse. Nos réclamants en étaient donc pour leurs reins meurtris et les sarcasmes dont les accablait notre bon sieur Anténor de Boutensac, en les voyant partir tout boitant et tout geignant, comme des chiens aux pattes écrasées.

Et c'était de petites fêtes de famille que ces exécutions auxquelles le bon gentilhomme conviait tous ses voisins et qui faisaient rire aux larmes les dames et demoiselles des castels ambiants, la bonté d'âme des femmes ne se démentant jamais.

La démoralisation commençait à envahir toutes les études. Les jeunes clercs donnaient leur démission et renonçaient noblement à la carrière. Toute l'huisserie régionale était dans un marasme impossible à décrire, quand les deux huissiers Guignevent et Rouspignol, tous deux de Castelnaudary, les plus vigoureux des officiers ministériels du département—Guignevent pesait cent vingt kilos et Rouspignol soulevait des meubles énormes à bras tendu,— sentirent que la profession était perdue dans la contrée, si les choses continuaient ainsi, et résolurent de relever l'étendard des frais de justice. A la première affaire qui fut confiée à un d'eux, par un débiteur du baron, ils se mirent en route, de compagnie, pour le manoir de Boutensac. Après s'être juré de se prêter main-forte, solidement armés d'ailleurs d'excellents gourdins de cornouiller, cuirassés, nonobstant, de gilets nombreux et épais, sous leur crasseuse redingote, afin que les horions en fussent amortis. Et, de très belliqueuse façon, ils sonnèrent à l'huis seigneurial, le chapeau sur l'oreille, avec des façons de mousquetaires, plutôt que de porteurs de contraintes qu'ils étaient tout simplement.

Comment le bon sieur Anténor de Boutensac avait-il eu vent de leur complot (je ferai remarquer que l'expression n'est pas de moi)? Parbleu! je n'en sais rien. Mais comme les huissiers sont toujours exécrés dans un pays, il n'est pas étonnant que leurs ennemis soient scrupuleusement tenus au courant de leurs faits et gestes.

Au grand étonnement de nos deux pourfendeurs, la porte s'ouvrit devant eux, sans qu'un nouvel appel fût nécessaire. Aucune sentinelle ne leur barra le chemin et ils remarquèrent, avec plaisir, que la meute de M. le baron, laquelle chassait l'huissier mieux que le renard, avait été soigneusement enchaînée en son chenil. Leur surprise fut plus grande encore quand, en approchant du perron armorié, ils y virent apparaître M. de Boutensac en personne, en élégante tenue de gentilhomme qui reçoit des amis, et comme frisé au petit fer, tout exprès pour les recevoir. Ils eurent beau regarder derrière lui, aucun laquais suspect ne lui faisait escorte.

Or, ce fut tout à fait de la stupéfaction quand ledit baron, venant à leur rencontre, leur dit d'une voix ineffablement gracieuse: «Messieurs les huissiers, soyez les bienvenus! Tout ce qui m'appartient est à vous.» Ainsi ils ne se trompaient pas, comme ils l'avaient redouté au premier abord, très inquiets, mais aussi intérieurement très flattés d'avoir été pris, ne fût-ce qu'une minute, pour des gens comme tout le monde. Quand, honorés de saluts cérémonieux, ils eurent pénétré dans le vestibule décoré de panoplies et d'écussons, et soutenu contre M. le baron une véritable lutte pour l'empêcher d'accrocher lui-même leurs paletots aux patères, celui-ci, reprenant la parole sur un ton plus engageant encore, les pria à déjeuner avant saisie, ne voulant pas qu'ils eussent, après une longue et fatigante route, l'ennui d'instrumenter le ventre vide.

Cette dernière attention faillit leur arracher des larmes. Allons! on leur avait fait des contes, là-bas. Ceux qui étaient venus avant eux n'avaient pas su prendre cet excellent homme, ou étaient de simples poltrons!

Un superbe repas était servi, auquel assistait toute la noble famille du baron, à laquelle celui-ci présenta MM. Rouspignol et Guignevent comme des invités de marque et qu'il fallait traiter avec une particulière courtoisie.

Guignevent demeurait, en dedans, un peu méfiant. Mais Rouspignol s'abandonnait à tous les élans enthousiastes de sa nature. A peine assis, ayant devant lui un ravier de Saxe tout plein de radis, il y plongea ses gros doigts, souleva presque toute la botte dont il secoua l'eau sur la nappe armoriée; puis, promenant le paquet tout entier au-dessus de la salière, l'y trempa, et fourra le tout dans sa bouche ouverte avec un fracas énorme de goinfrerie.

M. le baron de Boutensac était déjà debout, pâle de colère.

—Sagouin! malpropre! porc! malotru! Se comporter ainsi à la table d'un gentilhomme en compagnie de sa lignée seigneuriale!

Et d'une voix plus forte, comme s'il lançait une armée à l'assaut d'une citadelle:

—Holà! Lambert! Lafleur! Pierre! Jean! Mathieu! Laramée....

Laramée, Mathieu, Jean, Pierre, Lafleur, Lambert apparurent haletants.

—Saisissez-moi cet incongru, poursuivit le gentilhomme exaspéré, couchez-le sur le ventre et lui enlevez son haut-de-chausses.

Toutes les dames et demoiselles s'étaient sauvées en poussant de petits cris d'horreur à ce dernier commandement.

—Et maintenant, videz-lui la salière là où son haut-de-chausses n'est plus!

Lambert, Lafleur, Pierre, Jean, Mathieu et Laramée obéirent avec enthousiasme, non sans agrémenter d'une effroyable bourrade l'exécution des ordres qu'ils avaient reçus.

Indignement piqué dans son amour-propre, Rouspignol criait comme un blaireau.

Ayant pris à deux mains le reste des radis demeurés sur la table, M. le baron les planta de force dans les mains de Guignevent que deux hommes tenaient solidement.

—Et maintenant, lui cria-t-il, tu vas, toi, les manger tout en les trempant dans cette salière-là!

Qu'on nous parle donc, maintenant, de la bonne éducation des grands seigneurs! A peine supérieure à celle des huissiers!

MALCOUSINAT

MALCOUSINAT

Mon ami Malcousinat, m'avait dit, l'avant-veille:

—C'est dans deux jours que nous mangeons les haricots ensemble, chez Lascoumette, au *Clocher de Castelnaudary*.

Et la veille, il m'avait dit encore:

—C'est demain qu'au *Clocher de Castelnaudary*, nous mangeons les haricots chez Lascoumette.

Et chaque fois, il avait ajouté, sur un ton de philosophie plutôt épicurienne:

—Rien que trois! On ne déguste bien qu'à trois! Nous deux et ma femme!

Le grand jour était arrivé. Dès le matin, j'avais été informé que les haricots étaient arrivés de Pamiers par la grande vitesse. Je n'ai pas besoin de vous dire que mon ami Malcousinat est un gourmet. C'est un brave garçon, mais dont la vie se passe à méditer des gastronomies languedociennes, des plats locaux qu'on ne fait bien qu'à seul endroit, qu'il faut aller manger là seulement, et encore à heure fixe et par un certain temps déterminé! Il est, à ce point de vue, délicieusement maniaque. Ah! vous pouvez imaginer si, toute la journée, il s'en alla faire des recommandations au sieur Lascoumette, hôtelier du *Clocher de Castelnaudary*, sur la façon dont les fameux haricots devaient être préparés. Il avait choisi, lui-même, la terre de la casserole, ni trop jaune, ni trop brune, flairé le lard dont une couche légère enduirait le *grésal*, comme on dit à Toulouse, dosé l'eau dont il faudrait entretenir le mijotage. Il n'avait vraiment vécu, depuis douze heures, que pour cette réjouissance du soir.

Eh bien! moi aussi, j'attendais impatiemment l'heure du dîner!

Non pas que le haricot ait pour moi des séductions irrésistibles. J'aime peu les bavards, étant moi-même un silencieux. Je les cultiverais plus volontiers pour leur fleur, que je trouve charmante, que pour leur farineuse personne. C'est même en fleur seulement que j'estime le haricot dit de senteur, comme le pois; c'est ainsi que j'apprécie surtout les gravures avant la lettre. Au fond, je me moquais absolument de la façon dont M. Lascoumette accomplirait les rites culinaires prescrits à l'endroit de notre repas, composé d'un unique plat. Car c'est encore une superstition de Malcousinat de ne manger qu'un seul plat quand il est bon. Mais alors, avec quelle intempérance!

Le charme de la soirée était ailleurs pour moi. J'allais dîner avec Mme Malcousinat, et, comme nous n'étions que trois, je serais certainement à côté d'elle.

Un mot à ce sujet. Je n'ai pas l'habitude de tromper mes amis avec leurs femmes,—je n'y ai pas grand mérite aujourd'hui;—mais je ne l'avais pas même en ce temps-là, et cette histoire ne remonte pas à hier. Aucun projet mauvais n'entrait donc dans ma félicité. Mais j'ai toujours trouvé que rien n'est plus charmant qu'une jolie femme à table. Les dîners dont les femmes sont exclues me sont un vrai supplice, et ce qu'on est convenu d'appeler dîners de corps m'est absolument odieux. Tous ces habits noirs avec, au-dessus, dans la blancheur empesée du col, des billes de politiciens ou de spécialistes! Pouah! D'épouvante, mon regard en retombe sur mon assiette, où la truite saumonée inévitable me regarde mélancoliquement, d'un oeil mouillé de sauce verte.

Mme Malcousinat était tout simplement délicieuse, en ce temps-là, d'une beauté nonchalante, confortable et bourgeoise qui l'eût faite digne de l'amour d'un poète. Car nous autres, faiseurs de vers, nous n'aimons pas tant que ça les dames éthérées qu'on s'entend, dans un monde qui nous méconnaît, à nous donner pour Muses. A notre âme, toujours prête à s'envoler dans les espaces supérieurs, il faut un lien solide qui la rattache à la terre, une sorte de contrepoids sérieux qui nous empêche de nous envoler, avant le temps, parmi les étoiles. De là le goût sensé que nous avons, en général, pour les personnes dodues, pour les créatures de poids qui mêlent un peu de réalité à la poussière de nos rêves. Telle était Mme Malcousinat, ni petite ni grande, mais d'embonpoint rassurant, souriant avec une bouche très fraîche, regardant avec de beaux yeux ingénus, avenante comme pas une, toujours gaie et y ayant quelque mérite, avec, pour époux, un gastronome dont les sujets de conversation manquaient totalement d'au-delà.

Ce fut un éblouissement, dans le cabinet particulier où Malcousinat avait fait servir,—de telles agapes exigeant un réel recueillement,—quand elle entra dans sa jolie toilette estivale de provinciale aisée, sous un rayonnement de soleil couchant qui piquait des flèches de rubis dans les carreaux. Et c'était un parfum exquis de santé et de jeunesse, comme l'arôme d'une fleur vivante, qui enveloppait ses épaules, faisant courir, sous le tulle, un frisson d'ivoire rose. A cette triomphale entrée, je sentis comme un jardin de madrigaux qui s'épanouissait subitement dans mon esprit. Non! je n'ai jamais eu la fâcheuse coutume de déshonorer mes amis, dans leur foyer, mais il me semble que je l'aurais volontiers prise, ce jour-là. Heureusement qu'il y avait à compter avec la vertu de cette aimable personne dont l'enjouement ne cachait aucune perfidie, Lucrèce d'un Collatin qui ne méritait pas tant de bonheur.

On se mit à table et je me rapprochai d'elle autant que je pus, accumulant, du coté de son mari, le pain, les bouteilles, tout ce qui pouvait faire une barricade entre lui et mon innocent bonheur. Mon coude effleurait quelquefois, sans que j'eusse l'air de le vouloir, les blancheurs tièdes de son bras sous l'aérienne manche, qui y mettait à peine comme un brouillard; je n'avais qu'à me renverser un peu sur ma chaise pour contempler les beaux tons ambrés de sa nuque sous le retroussis d'or de ses cheveux; d'un oblique coup d'oeil, je savourais son profil perdu d'un ovale si bien rempli, dépassé seulement par les frémissements des longs cils; et, sans qu'elle s'en fâchât, je lui murmurais à l'oreille des paroles dont l'accent devait être encore plus tendre que le sens lui-même. C'était tout simplement délicieux.

Et pendant ce temps-là, nos doigts indifférents s'acharnaient à décortiquer des hors-d'oeuvre destinés à nous faire patienter. Malcousinat ne tenait pas en place. A chaque instant, il courait à la sonnette et exigeait que M. Lascoumette, en personne, montât.

—Ça, monsieur Lascoumette, ayez bien soin de les saupoudrer de sel graduellement. Une pincée toutes les cinq minutes.

—Ah! monsieur Lascoumette! ne les laissez pas surtout s'attacher au fond.

—Lascoumette! Vous les faites remuer constamment, n'est-ce pas? avec une cuiller en bois d'olivier?

Le gros aubergiste montait, en soufflant, rouge de l'haleine des fourneaux, et ruisselant, comme une gouttière, de la montée de l'escalier en limaçon.

—Oui, monsieur Malcousinat, répondait-il, chaque fois, avec une résignation dont l'expression se saccadait cependant, de plus en plus, comme d'une pointe d'impatience.

Ah! que Mme Malcousinat était adorable à regarder pendant ce temps-là, livrant, du bout de ses ongles roses—tels des pétales de nacre—un combat singulier à une crevette obstinée dans son armure! Et sur quel joli chapelet de perles s'ouvrait sa bouche gourmande après la victoire! L'air un peu plus frais, le soleil étant descendu plus bas sous l'horizon, entrait largement par la fenêtre grande ouverte, et des souffles légers mettaient comme un va-et-vient exquis aux boucles de sa chevelure un tantinet révoltée.

Et Malcousinat, trop inconscient de ma joie innocente pour en prendre la moindre jalousie, continuait de faire monter l'infortuné Lascoumette, à tout moment, pour lui faire de nouvelles recommandations sur la cuisson des fameux haricots.

—Lascoumette, faites-les sauter, maintenant, un peu, dans la fine graisse d'oie.

—Lascoumette, réveillez-les d'une pointe de poivre fraîchement moulu.

Tel un général, sans quitter son fauteuil, conduit, les yeux sur sa carte, une bataille.

—Lascoumette, laissez-les gratiner cinq secondes environ.

—Lascoumette, retirez-les du feu trois minutes pour laisser s'abattre le bouillon.

—Lascoumette, agrémentez-les d'une grésillade de persil.

Tout à coup, ma délicieuse voisine et moi, au moment où j'étais bien près de poser mes lèvres tremblantes au bord du gant de Suède relevé à son poignet, nous entendîmes M. Lascoumette criant d'une voix de tonnerre:

—Monsieur Malcousinat, faut-il aussi les faire accorder?

TOUS FARCEURS

TOUS FARCEURS

Quelques bûches opiniâtres achèvent de flamber dans la haute cheminée du castel vendéen, s'effondrant parfois avec des gerbes d'étincelles. Il est cinq heures du soir et, par les fenêtres bien closes, on n'entrevoit guère plus que les bandes de topaze et de cuivre jaune dont le couchant est rayé; car nous sommes en automne, temps où la nuit se hâte aux horizons couronnés de fausses lumières. Dans le petit salon fleurdelisé, aux écussons rajeunis sous la Restauration, la jolie marquise des Étoupettes cause avec le vidame Guy des Mauves, chacun assis à l'angle d'un canapé aux ramages surannés.

—Je vais sonner pour faire apporter les lampes, dit la marquise.

—Attendez encore un instant, madame, répliqua le vidame d'une voix aussi émue qu'une plainte de mandoline. Ce demi-jour n'est-il pas le plus agréable du monde?

—D'accord. Mais est-il bien convenable que nous demeurions ainsi seuls dans l'obscurité?

—C'est pour causer de votre mari. Et il suppose toujours que la République a, contre lui, les plus mauvais desseins?

—Que voulez-vous. Quand on a en deux grands-pères guillotinés sous la Terreur!

—Il y a un siècle de cela, marquise. Ah! c'était le bon temps! il eût émigré et j'aurais pu vous aimer tout à mon aise.

—Fi! vidame! je vais décidément faire monter les lampes.

—Par pitié! un instant encore.

Et le vidame qui avait gagné un peu de terrain, sur le siège commun, gantait d'un long baiser l'aristocratique main de la marquise. Sans avoir l'air d'y prendre garde, celle-ci reprit:

—Mon mari sait que vous veniez, aujourd'hui, au château?

—Certainement. Je m'en voudrais de manquer de franchise avec un tel gentilhomme.

—Et vous saviez, vous, qu'il ne rentrerait que tard?

—Je me serais gardé de rien changer au programme de sa journée. Il est allé aux nouvelles pour se bien assurer que la Révolution ne nous menace pas.

—C'est une monomanie. Un mal de famille. Mais vous savez qu'il est inquiet aussi pour vous. Il prétend que vous avez tort de venir aussi souvent chez un homme aussi mal noté à la préfecture que lui.

—Plût au ciel qu'en bravant un vrai danger, je pusse vous prouver mon amour! Il n'est pas de péril qui m'épouvante quand je pense au bonheur innocent de contempler votre doux visage.

—Alors laissez-moi faire apporter les lampes. Je vous jure qu'il fait nuit tout à fait.

—Non! une minute encore! N'ai-je pas votre image dans les yeux? Laissez-moi croire, un instant, que je suis aveugle....

Et le vidame tendit en avant, comme un aveugle, ses bras, si bien que ses mains frôlèrent la belle chevelure brune de la marquise. Celle-ci reprit, en retirant doucement sa jolie tête en arrière:

—Savez-vous l'idée qui m'est venue, vidame?

—Non, marquise.

—Eh bien! je crois que mon mari n'est pas aussi bête que vous l'espérez.

—Par exemple!

—Cette façon de vous détourner de venir ici, vous son meilleur ami, sous prétexte que cette amitié vous compromet, ne me paraît pas sans une arrière-pensée.

—Laquelle, madame?

—Celle que vous m'aimez.

—Oh! si purement!

—Soit, mais enfin, vous m'aimez. Au moins, me le dites-vous.

—Je vous le jure. Sans espoir, mais de toute mon âme.

—Vous savez que les deux grands-pères guillotinés de mon mari étaient des gens élevés à l'école de Voltaire. Le marquis est sceptique et ne croit pas volontiers à la vertu des femmes.

—Plût au ciel qu'il eût raison!

—Moi, je suis convaincue qu'il suit de près la cour que vous me faites.

—Dites tout de suite qu'il me moucharde. Lui, un gentilhomme! un Gaspard des Étoupettes, dont les ancêtres ont combattu aux croisades! Ah! ce serait vil et mesquin. S'il en était ainsi, marquise, je n'aurais plus aucun remords. Oui, je veux croire cela. Vengeons-nous, madame, de la mauvaise opinion qu'il a gratuitement de nous!

—Ursule, montez les lampes! fit impétueusement la marquise à la cantonade.

Aucune fenêtre ne s'éclaire cependant à la façade mélancolique du vieux château vendéen. Les dernières blancheurs roses du soir se sont évanouies aux arêtes, amorties par le temps, de la vieille maison seigneuriale. La lune se lève dans le ciel et descend dans l'étang, mettant une buée d'argent dans l'air et sur la surface de l'eau. Les grands arbres dépouillés tracent des hiéroglyphes noirs sur le gris légèrement ardoisé du ciel où sont écrites, par les destins impatients, les menaces de l'hiver. On dirait une immense toile d'araignée dans l'espace, où se prennent, une à une, les étoiles, comme des mouches d'or. La sombre masse de pierre semble rêver dans le paysage et, sur les clochetons de ses tourelles, les girouettes gémissent dans le vent, tandis que les saules aux lanières nues fouettent légèrement la rive aux gazons chauves. Toutes les bêtes sont rentrées et, tapies sous le froid qui les poursuit, tentent de dormir en attendant le pâle soleil qui ne les réchauffera guère. Comme il doit faire meilleur dans le salon fleurdelisé, aux écussons rajeunis par la Restauration, aux meubles revêtus de ramages surannés!

L'âme rouge des tisons mourants éclairait, d'un dernier feu d'agonie, le vidame aux pieds de la marquise, authentiquement à genoux, comme un amoureux qui supplie, quand, sur l'obscurité enfin complète, la porte s'ouvrit avec fracas et ces mots sonnèrent comme un glas à l'oreille des causeurs épouvantés:

—Le commissaire de police.

—Ah! mon Dieu! fit la marquise tout bas, je l'avais pressenti.

—Le commissaire de police, répéta la voix, plus haut encore.

Le vidame eut une fâcheuse inspiration. Il avait décidément, lui aussi, une monomanie, celle de la franchise et des situations nettes.

—Monsieur le commissaire, fit-il avec une fermeté inattendue dans la voix, vous êtes certainement un galant homme. Je vous dirais que je ne faisait pas la cour à madame que je mentirais impudemment. Mais je vous jure aussi que j'en étais encore pour ma coupable intention....

Une allumette flamba:

—Misérable! Canaille! Faux ami! Jacobin!

C'était monsieur le marquis des Etoupettes qui, ayant repris sa vraie voix, traitait ainsi, son ancien ami, le vidame Guy des Mauves.

Puis, une soudaine et enfantine douleur faisant suite à sa colère:

—Moi qui croyais lui faire une si bonne farce, en lui faisant croire un instant que le gouvernement le faisait arrêter!

La marquise avait soudain repris son sang-froid.

—Et nous qui attendions ton retour avec impatience, s'écria-t-elle, et qui croyions te faire une si bonne farce en faisant semblant de nous aimer!

—Comment! Vous aussi! Une simple plaisanterie!

—Est-ce que tu crois que nous n'avions pas reconnu ton pas dans l'escalier, puis ta voix à la porte?

—Ah! mes enfants quel bonheur!

Et l'excellent homme serra, tour à tour, dans ses bras, sa femme et son ami, en s'excusant de toutes ses forces. Il suffoquait de joie. Il lui fallut ouvrir la fenêtre pour se donner de l'air.

Au dehors, la nuit, complice de nos facéties aussi bien que de nos crimes, étendait son aile d'ouate brune sur le paysage, comme un cygne noir blessé et dont les blessures saignent des gouttelettes d'or; une coulée de plomb, striée par les roseaux en hachures, pareils à de longs cils, mettait comme un regard éteint au grand oeil mort de l'étang. Un frisson léger secouait, des dernières frondaisons, les feuilles à demi détachées, comme les pages d'un livre qu'a disloqué le vent. L'obscur bruissement des insectes allait s'enfonçant plus profondément dans la terre refroidie, et la lune, pleine tout à l'heure, maintenant ébréchée par la fuite d'un nuage, prenait déjà la forme vague et divinatoire du croissant à venir.

LE PERROQUET

LE PERROQUET

I

Il était blanc avec les ailes légèrement ourlées de jaune très clair, pas bien gros et pourvu d'une crête très haute de plumes s'écartant en dents de scie quand il avait quelque émotion.

Il était très ignorant et ne savait dire absolument qu'une chose: «Bon appétit!» C'est sans doute cette faculté de rabâchage qui lui avait valu le nom de Nestor. Volatile médiocre au demeurant, mais qui n'en était pas moins adoré par sa maîtresse. *Delicias domini*, comme l'Alexis Virgilien, qui fit mieux de vivre sur les bords du Tibre que sur les bords de la Tamise. Mme de Sainte-Ildefonse ne jurait que par la beauté, l'éloquence et les vertus de Nestor. Elle lui prêtait des raisonnements dont la profondeur eût étonné Pascal et comparait couramment sa voix a celle de la Patti. C'était une adoration d'une bête pour une autre. Car Mme de Sainte-Ildefonse manquait totalement de génie. Mais par combien de charmes d'un usage plus courant dans la vie elle le remplaçait! D'abord, un embonpoint de quadragénaire bien conservée qui eût prolongé de dix ans la tolérance de Balzac en matière d'âge féminin. Jamais femme ne s'assit moins sur un rêve. Je sais que cela n'est plus de mode aujourd'hui, où les dames ne veulent plus que de séraphiques coussins naturels. Aussi, était-elle de son temps et de celui où aimaient les hommes de ma génération, d'un goût absolument différent de celui des godelureaux contemporains. Nous mesurions, à l'ampleur de nos mains plus robustes, la pomme hespéridienne qui les occupe si bien pendant les extases de l'âme! O douces obèses—un peu seulement toutefois!—qui portez comme une croix votre postérieure santé, montueuse comme un calvaire, consolez-vous! nous vous avons bien aimées!

Mme de Sainte-Ildefonse l'avait été beaucoup aussi, il n'y a que quelques années encore, avant que M. de Quentin, qui lui avait laissé sa jolie propriété de Bougival, eût exhalé son suprême souffle. Est-elle sage maintenant, dans le sens stupide du mot? Nul ne le sait, mais tous le trouvent improbable. La vérité est qu'elle respecte infiniment la mémoire du généreux testateur et évite absolument de rendre son ombre ridicule. Comme une petite bourgeoise, vit-elle dans son aimable *buen retiro*, où elle joue même un peu à la fermière. Bien que dame de charité de sa paroisse provinciale, elle n'est pas bégueule dans ses relations. Volontiers, le dimanche, reçoit-elle, pour se distraire, des couples irréguliers, qu'elle traite le mieux du monde. Mais son hospitalité demeure simplement écossaise et non laponne (la vraie cependant, celle-là)! J'entends qu'on trouve, chez elle, la table seulement et non le lit diurne à deux, si appréciable aux heures de sieste, pendant les tièdes journées. Elle met même une certaine coquetterie de vertu à ne pas laisser ses hôtes s'attarder, ensemble, sur les simples canapés, en de dangereux isolements. C'est même le revers de la médaille de ces cordiales et gastronomiques réceptions. Tout pour le ventre et rien pour les aspirations d'une naturelle tendresse. Autour de ses invités, elle fait si bonne garde, que c'est tout au plus s'ils se peuvent permettre, dans leur faux ménage, quelques baisers occultes... les plus savoureux d'ailleurs.

II

Un dimanche plein de lilas, comme ceux d'aujourd'hui et versant, par la banlieue en fête, un monde d'amoureux bruyants grisés de soleil et la profanation joyeuse de tout ce paysage volontiers mélancolique, avec son fleuve alourdi, sans transparences tentantes; ses horizons boisés où courent des buées printanières, ses bois dépouillés déjà par les maraudeurs; et, là-bas, à l'horizon, ce viaduc en ruines qui semble une construction romaine et met des cils d'ombre à la paupière rouge des soleils couchants. Car elle est délicieuse et navrante tout ensemble, aujourd'hui, cette nature de banlieue déjà lointaine, où des fabriques fument, où des chalands s'embourbent avec leurs maisonnettes fleuries, où tout fait penser à ce mot de George Sand: «Que les choses seraient belles, sans les hommes et les bêtes!» Un dimanche où, par les villages parcourus, de petites filles en blanc sortaient de l'église,— telles des hirondelles blanches—dans un bruit de cloches et des échos d'orgue, une note exquisément dévote se mêlant au vacarme débordé de la grande cité. Et ce dimanche-là, les invités de Mme de Sainte-Ildefonse étaient, d'une part, Hippolyte et Nysa, de l'autre, Gaspard et Corysandre, pour ne désigner que par leurs prénoms des époux inconnus à la mairie de leurs arrondissements respectifs, plus le célibataire Tripet qui venait dans la maison, pour la première fois, un être gourmand, timide et sournois, surtout égoïste, ce qui le faisait rechercher beaucoup. Car vous avez remarqué que les égoïstes sont particulièrement, et même seuls, aimés. De ce qu'ils regardent le reste du monde comme rien du tout, on en conclut, un peu légèrement peut-être, que ce sont des êtres à part ayant une juste conscience de leur supériorité. La tendresse est une chose tellement contagieuse que celle qu'ils ont pour eux-mêmes semble se répandre autour d'eux.

Un détail à noter pendant le voyage qui les avait amenés à Bougival. Hippolyte avait fait beaucoup plus attention à Corysandre qu'à Nysa, et Gaspard à Nysa qu'à Corysandre. Un souffle d'adultère innocent, mais réciproque, était dans l'air. Un besoin de changer de dame, comme dans les quadrilles. On ne s'était rien avoué. Mais Nysa et Corysandre étaient certainement complices de cette fantaisie de mutuelle infidélité. Et c'est dans ces dispositions qu'ils arrivèrent tous les quatre flanqués de Tripet, chez la bonne châtelaine qui, comme toujours, commença ses affectueuses hostilités par un gargantuesque repas dont Tripet s'esjouit comme un bon moine, cependant, que, sous la table, les pieds de Nysa cherchaient ceux d'Hippolyte et les pieds de Corysandre les bottines de Gaspard. Nestor, sur un perchoir auquel le retenait une chaînette d'un élégant travail, était, bien entendu, de la fête. «Bon appétit!» criait-il à chaque instant, de sa voix d'ivrogne nasillarde. Recommandation inutile. Car jamais plus complet honneur ne fut fait à un repas.

III

Puis, comme il faisait encore très chaud dehors, on se promena dans la maison, Hippolyte ne quittant plus Corysandre et Gaspard s'obstinant aux pas de Nysa, exquises, toutes les deux, d'ailleurs, dans cette moiteur de jeunesse parfumée qui fait les femmes pareilles à des fleurs ensoleillées où un peu de rosée matinale perle encore; celle-ci brune avec un teint mat, où passaient, dans l'ombre, des lumières d'argent, celle-là blonde, presque rousse, avec une peau blanche où couraient de vagues paillettes d'or, comme dans l'eau-de-vie de Dantzig; toutes les deux non pas grises, mais intérieurement enamourées, avec un souffle qui passait, moins lentement rythmé sur leurs jolies lèvres, avec un alanguissement délicieux de tout leur être repu, et d'inconscientes perversités dans les regards cherchant des regards amis. Et c'est dans ces dispositions d'esprit, lesquelles n'échappaient pas à l'impatiente curiosité de leurs galants d'un jour, qu'on allait de chambre en chambre—toutes délicieusement coquettes, et fleurant bon comme si les roses des cretonnes étaient naturelles, les chambres de la villa!—qu'on errait parmi les canapés obsesseurs, les lits pleins d'invitations, les larges fauteuils dont un dragon du Roi se fût si bien contenté, avec de secrets espoirs d'isolement, mais toujours déçus, car Mme de Saint-Ildefonse, que multipliait certainement son souci vertueux, trouvait le moyen d'être, à la fois, sur les talons de tout le monde.

Évidemment, cette gêneuse avait beau être chez elle, elle était de trop dans la maison. Jamais la propriété ne s'était présentée aux rancunes des anarchistes sous un jour d'abus aussi monstrueux et intolérable.

Cet avis était particulièrement celui du célibataire Tripet, mais non pour les mêmes raisons que nos amoureux. Tripet avait simplement trop mangé. Il avait mis en présence, dans son précieux abdomen, ces deux irréconciliables ennemis qui sont le homard et le haricot soissonnais. J'ai découvert la raison de cette haine séculaire. Avec son armure dont l'émeraude vivante et sombre se pourpre à la cuisson, comme s'ensanglantait au combat la cuirasse des chevaliers d'antan aux tournois et à la guerre, le homard représente le monde héroïque qui envoyait des défenseurs au Saint-Sépulcre, le monde des gentilshommes vêtus de fer, des cavaliers bardés de métal, maniant l'estoc et la lance. Le haricot soissonnais, lui, personnifie la guerre contemporaine, l'artillerie triomphante du courage personnel, la poudre sans fumée. C'est donc deux traditions militaires différentes, exaspérées, intolérantes qu'on emprisonne ensemble en les mêlant dans une agape imprudente. Tripet avait commis cette faute et était devenu, certainement, un champ de bataille où toutes les nuances combinées des deux stratégies s'enchevêtraient en une mêlée douloureuse et pleine de sournois grondements. Mais j'ai dit la timidité de son caractère. Il aurait mieux aimé mourir que de demander où il pourrait contraindre tous les combattants à une sortie suprême et désespérée. Avec son flair de canonnier, il avait bien essayé de découvrir l'emplacement de ce Pharsale. Mais lui aussi était suivi par Mme de Sainte-Ildefonse, qui ne le savait pas si parfaitement inoffensif en amour. Il fallait à tout prix écarter cette femme. Il y réussit sans se ruiner, et comme vous allez voir.

L'angoisse générale était au comble, quand un cri: A«h! mon Dieu!» tragique dans son intensité, détourna toutes les attentions. En même temps, tous les regards se dirigèrent vers un grand arbre où Nestor, le perroquet, échappé de son perchoir, se balançait joyeusement sur une branche. Inutilement appelé par sa maîtresse au désespoir, Nestor passa de son tilleul sur un autre appartenant au jardin du voisin. Il était certainement perdu, si on le laissait aller plus loin. Mme de Sainte-Ildefonse, suivie de ses nombreux domestiques, se rua chez son compatriote mitoyen, chez qui commença une chasse en règle à l'oiseau dont la crête narquoise était dentelée comme l'armure de bouteilles cassée d'un mur.

C'est le sournois Tripot qui, lui, rageusement, avait rendu la liberté à la bête, et, grâce à cette diversion, dans les chambres bien coquettes, aux canapés obsesseurs où Gaspard et Nyaa, d'un côté, Hippolyte et Corysandre de l'autre, s'étaient égrenés de concert, comme par hasard, aussi bien que dans l'asile discret dont Tripet avait forcé la porte, tous ces heureux purent entendre, de plus en plus lointaine, à mesure qu'il s'en allait d'arbre en arbre, la voix de Nestor qui leur criait: «Bon appétit!»

CONTE VERTUEUX

CONTE VERTUEUX

I

J'entends dire, par là: conte où il est question de la vertu. Et de quelle vertu, s'il vous plaît? Parbleu! de celle des femmes! Car j'imagine que la mienne vous importe peu. Moi, je tiens pour elle et j'ai pour cela l'excellente raison que beaucoup ont refusé mes hommages. Mais j'avoue qu'elle n'est pas concluante. D'autres eussent peut-être mieux fait accepter les leurs. J'ai d'ailleurs, dans mes souvenirs, une histoire qui m'aurait dû rendre sceptique, et je vous veux la conter, ne fût-ce que pour avoir plus de mérite à croire en une matière où ce n'est pas précisément la foi qui sauva les maris. Celle-là n'était pas en puissance d'époux, mais veuve, qui me donna une si belle leçon; veuve d'un homme que sa froideur avait fait mourir, tant il on était effroyablement épris et s'était meurtri le coeur à le jeter sous les pieds de cette statue dont il avait tenté vainement d'être le Pygmalion. Dame Honesta—je vous préviens que c'est un pseudonyme dont la pare ma naturelle discrétion—avait donc la renommée d'être impossible à tenter, même par les plus audacieux. Elle passait, non pour méchante, mais pour férocement insensible. Mystique avec cela, d'un mysticisme inaccessible aux accommodements dévots. Sa nature et l'éducation hérissée de principes qu'elle avait reçue, un tempérament douteux et des convictions arrêtées, tout concourait à la défendre. Pour les gens de bonne foi, la beauté chez un tel être en fait simplement un monstre. A quoi bon alors ces yeux admirablement doux, dont la prunelle avait le ton des violettes toulousaines à la tombée de la nuit? Pourquoi cette chevelure changeante qui roulait l'or fauve des frondaisons automnales sur un pactole plus sombre? Et cette bouche sensuellement humide, rose lascive et comme palpitante au souffle d'invisibles baisers? Et ces épaules admirables s'élargissant, à la base du cou, comme un fleuve lacté qui vient mourir dans un océan de neige? Et ces bras striés légèrement, dans leur marmoréenne blancheur, de petites veines bleues semblant des cheveux d'azur, ces bras délicieusement ronds dont l'étreinte ne devait être qu'une fraîcheur parfumée? Oui, que voulait dire cette tentation sans issue, cette promesse sans lendemain? Pourquoi ce vivant supplice des âmes! A quoi pense la nature en forgeant ces décevants caprices, ces inutiles splendeurs? Ah! mon cher Bourget, que voilà bien la vraiment cruelle énigme!

Donc dame Honesta avait la réputation parfaitement assise—assise toutefois sur un moins beau trône que sa propre personne—d'une dame près de qui les soupirs sont superflus. J'en étais convaincu plus que quiconque, et parbleu! le serais encore. Car aucune honnêteté ne me fut étrangère et j'ai gardé le goût de croire à l'honnêteté. Une seule chose m'étonnait et me donnait encore meilleure opinion d'elle, c'est qu'elle me parût peu insupportablement orgueilleuse de cette sorte de déification. Modestie ou conscience de son mérite impeccable, elle en acceptait les hommages avec une simplicité infinie, comme la chose la plus naturelle du monde, et, dans le milieu où je l'avais rencontrée, elle avait, malgré tout, la réputation d'être, à cela près, très bonne enfant.

Ce milieu, dans ma vieille terre languedocienne, bien entendu, en un castel assez misérable d'ailleurs, où me recevaient de vieux parents, d'excellentes gens, très pieux et tout à fait corrects dans la vie, mais pas bégueules cependant et qui, à l'occasion, aimaient à rire quand ils avaient bu deux doigts de Villaudric arrosant quelque perdrix rouge de saveur sauvage. On y était infiniment hospitalier, ce qui veut dire que des dames, de renommée infiniment moins immaculée que celle de dame Honesta, y trouvaient cependant excellent accueil, à l'époque des vendanges surtout, celle où volontiers on se rend visite pour boire en commun les derniers rayons de soleil. Je conviens même que j'abusai quelquefois, à l'occasion, de cette hospitalité, pour tromper des maris absents, et c'était, cette année-là, ma ferme intention, comme les précédentes. La familiarité de ces réunions provinciales prête si bien à l'ébauche de tendresses que la séparation prochaine rend sans grands dangers! Mais quand je vis dame Honesta, toujours en vertu de cette probité de nature dont je désespère de jamais guérir, tout à la ferveur de sa beauté sans égale, subjugué par son charme mystérieux et cruel il me fut impossible de poursuivre aucune autre aventure que d'en demeurer stupidement amoureux, j'entends amoureux sans espoir, lâchement, sans révoltes viriles même, tant j'avais été bien prévenu et avais l'intuition personnelle que je perdais mon temps. Et ce qui accroissait encore le ridicule de cette poursuite platonique, c'est que rien de farouche dans son accueil ne donnait raison à ma timidité. Au contraire, j'aurais ignoré sa haute et inexpugnable vertu qu'il m'eût semblé certainement qu'elle cherchait à m'encourager. Elle paraissait aimer ma compagnie, laissant volontiers son bras traîner, si doucement lourd! sur le mien pendant les promenades. Mais la légende avait passé par là. On m'avait si bien dit qu'elle était «bonne enfant» en apparence et jusque-là seulement! On s'accoutume à tout et j'en étais venu à vivre, non sans quelque honteuse douceur, dans d'humiliantes résignations, soumis à ce qui me semblait la fatalité inexorable, imbu plus que jamais de cette vérité qu'il n'est homme vraiment digne des faveurs de la réelle Beauté et que ce nous est une audace sacrilège d'oser élever vers elle l'injure de nos voeux.

Il y avait, tout autour de moi, de petits sourires rancuniers et satisfaits qui ressemblaient joliment à de la moquerie. Mais que m'importait! je marchais dans mon rêve de désespéré comme en un chemin plein d'étoiles.

II

Une adorable nuit d'octobre, comme on en connaît seulement là-bas, presque des nuits d'été encore, avec un ciel plus sombre, sombre comme un immense lapis-lazuli où les astres mettent comme des cassures d'argent clair, avec les fraîcheurs lointaines cependant de la Garonne montant parmi les brises encore tièdes, et partout une langueur immense, faite de la secrète mélancolie des déclins et comme balancée dans l'air par l'aile innombrable et invisible des parfums exhalés par les dernières fleurs, odorants arômes dont l'âme même est pénétrée.

Comment dame Honesta était-elle venue avec moi, dans ce coin isolé du grand parc où les allées couraient entre les carmins rouillés des ronces toutes tachées de mûres, très loin déjà du vieux castel dont les méchants rires ne venaient plus jusqu'à nous? Mon Dieu! tout simplement, sans doute, en marchant devant soi dans le sable qui craquait musicalement sous ses bottines, en causant de ceci ou de cela, de tout, hormis de ce que j'avais dans l'âme et qui en avait chassé tout le reste. Imaginez, autour de nous, toutes les séductions perfides des choses, toutes les persuasions amoureuses de la nature: le chant d'une source soulevant les cailloux de son bouillonnement;

le frôlement des joncs vibrant comme des lyres sous le vent nocturne; le vol attardé des phalènes traversant le silence du sonore velours de leurs ailes; de beaux rayons de lune se brisant en poussière d'argent dans les feuillages; toutes les harmonies des sons mourant dans l'espace et des couleurs se transformant en des reflets d'apothéose, dans des vapeurs d'améthyste transparentes. Non, vraiment, rien ne manquait au décor d'une idylle entourée de toutes les poésies, pas même la tertre de gazon, comme dans les tableaux suggestifs de Fragonard, que baignait au pied une clarté douce, tandis que le sommet se recueillait dans l'ombre, tamisé par les arbres comme sous l'exquis enveloppement de rideaux de gaze.

Et elle était là tout près de moi, la gorge demi-nue sous son mouchoir dénouée, les cheveux traînant sur le cou, résumant dans son être lassé toutes les senteurs divines du jour évanoui, ce sublime alanguissement de toutes les choses avant le sommeil.

Mais la légende était là, l'inexorable légende d'impeccabilité.

—Ah! madame, m'écriai-je, accablé par l'ironie de ces splendeurs, quelle heure de vivre avec une moins vertueuse que vous!

—Et avec un moins sot que vous!

Me répondit-elle en me jetant un regard dont je n'oublierai jamais la cruauté blessée. Et elle disparut, étouffant un petit rire dont j'étais déchiré, comme d'un couteau, sous l'épaisseur des frondaisons, par quelque oblique sentier où les ronces m'auraient empêché de la poursuivre, dans un effacement de toutes ces caresses de la Nature dont j'étais grisé un instant auparavant, me laissant dans un paysage vide soudain et dont les étoiles mêmes semblaient s'être envolées.

Suis-je guéri, pour cela, de croire à la vertu des femmes?

En toute humilité, j'avouerai que non.

AMANY

AMANY

Sous le ciel, rose et clair comme une aile d'ibis,
Sur Marseille où descend déjà la Nuit future,
La Méditerranée a fermé sa ceinture
Aux anneaux d'or, de malachite et de rubis.

A ses pieds, sur le sol laissant choir ses habits,
Celle qui fait ma joie et qui fait ma torture
En rêve, de ses bras, à mon cou qu'il capture,
Affermit le joug doux et fort que je subis.

Sur la terre où l'exil poussa la Phénicie,
A la gloire de Tyr, sous mon front s'associe
L'éclat jeune et vivant de sa fière beauté.

C'est qu'à travers les temps et pour leur lent hommage

De la Femme est restée une immortelle image

Où des flambeaux éteints demeure la clarté.

Ainsi pensais-je à l'absente, avec quelque mélancolie, il y a un an, à peu près, par un de ces soirs admirables de juillet qui criblent la nue de flèches d'or, devant la Méditerranée devenue comme un immense et sombre lapis-lazuli aux cassures lumineuses, dans le brouhaha de la Cannebière où de belles filles passaient sous l'orgueil de leur chevelure noire et de leur sang latin. Devant moi, la forêt des mâtures immobiles semblait une embuscade d'ombre, une embuscade de soldats armés de hautes lances; et la mer semblait faire flotter, sur la blancheur des collines crayeuses, comme une image lointaine de la voie lactée. Au-dessus des bavardages humains, des bourdonnements de phalènes mettaient comme un bruissement de velours, et des souffles chauds un frisson dans les platanes poudreux. Les voiles triangulaires dessinaient, sur le vague des horizons, les images de coeurs très sombres pendus à un invisible étal pour quelque mystérieux supplice. Toute cette joie du dehors qui riait et chantait aux lèvres des amoureux m'enveloppait d'une indicible et intérieure tristesse. En de jalouses angoisses et en des regrets superflus, je laissais s'en aller mon âme aux pieds de celle que j'avais quittée la veille et qui, sans doute, ne pensait guère à moi.

En ces dispositions moroses, je m'assis à la terrasse d'un de ces cafés magnifiques avec le souvenir desquels Paul Arène ne manque jamais d'humilier nos estaminets parisiens. Le fait est qu'on s'y croirait aux pieds d'une Babel tant s'y croise la variété des langages, tant s'y coudoie la variété des costumes, tant l'illusion d'un Orient tout proche y défie les ridicules préjugés de la géographie. Tout en continuant de rêver, j'écoutais, malgré moi, ce murmure de ruche et, de ce chaos de paroles, les plus voisines frappaient mon oreille. A la table la plus voisine, deux Turcs causaient, cachetés de rouge par leur fez comme des bouteilles de Bourgogne, avec des pelisses droites s'élargissant par le bas, aussi comme des bouteilles. Et quand j'entendis l'un d'eux proposer à l'autre de lui raconter comment un de ses ancêtres avait commencé la fortune de la famille je me résolus d'écouter tout à fait ce conte, la recette pouvant être bonne pour les petits enfants que je n'ai pas.

Et maintenant, c'est, non plus moi, mais un des bons Turcs cachetés de rouge qui parle.

—Le plus curieux, dit-il, c'est que cet ancêtre fut un poète. Il s'appelait Khodja, et les lettrés de Constantinople ont, tous encore ses poésies dans leur bibliothèque. Les connaisseurs affirment qu'il n'avait pas son pareil pour comparer sa bien-aimée à la lune reflétée dans le miroir d'argent d'un lac.

Mais malgré que le krach des livres n'eût pas encore commencé, il n'en était pas moins un des plus pauvres hommes de Scutari qu'habitaient mes aïeux, et sa femme Amany, mon aïeule vénérable, passait son temps à envoyer à tous les diables cet harmonieux fainéant qui ne la nourrissait que de belles métaphores. Cette matérielle créature—c'est Mme Khodja, mon aïeule, que je veux dire—reprochait, sans cesse, au pauvre chanteur de ne pas savoir vendre des denrées à faux poids, comme le faisaient régulièrement tous les autres. Car nul n'ignore, en effet, que tandis que tous les négociants du reste du globe, ceux de Paris surtout, sont d'une indiscutable probité, les commerçants Turcs aiment fort à duper leur clientèle, sur la qualité d'abord, et ensuite sur la quantité de ce qu'ils débitent. En quoi ils se montrent prodigieusement logiques et philanthropes. Car, plus un produit est avarié, moins on vous en donne pour le même prix, moins on vous trompe à la fois. Mais, de tous les amis qui excellaient dans cette hygiénique occupation, celui que mon aïeule Amany citait toujours à son mari, avec le plus d'admiration, c'était leur voisin Togrul, Persan d'origine, mais naturalisé Turc pour les besoins de son commerce, et qui, en moins de cinq ans, avait acquis un pécule monstrueux dont il était tout prêt, d'ailleurs, à faire le plus mauvais usage. Car il faisait à Mme Khodja une cour assidue, durant que son innocent époux modulait des sons et les renfermait dans l'argile sonore du rythme, lui répétant sans cesse, en son langage non moins imagé: «Étoile du firmament, lune de mes nuits, tulipe de mes rêves, conseillez donc à cet imbécile d'aller faire au loin quelque négoce. Je lui prêterai le peu qu'il faudra pour partir, et il le perdra certainement en route. Mais pendant ce temps-là, nous prendrons du bon temps. Je viens justement d'expédier une caravane pour un marché lointain, et je n'ai rien absolument à faire qu'à vous aider à le tromper indignement, comme il le mérite.»

Et mon aïeule Amany écoutait cette canaille de Togrul et trouvait son projet plein de bon sens.

Un jour donc, mon malheureux ancêtre Khodja trouva, à sa grande surprise, en revenant de prendre à la pipée quelques strophes matinales, un petit âne tout harnaché à la porte de sa maison, et, sur le petit bourriquet, qui dodelinait des oreilles, un sac en travers, tout gonflé de riz: «—Mon gaillard, lui dit amicalement sa femme, laquelle l'attendait sur seuil fleuri de clématites, vous allez me faire le plaisir d'aller vendre cela où vous voudrez, et puissiez-vous crever en route, pour que je me puisse remarier avec un moins nigaud que vous!» Sans en demander davantage, l'excellent Khodja prit l'âne par le licou et et mit en chemin tout en causant doucement avec l'animal. Car les poètes et les bêtes s'entendent bien volontiers, et ce bienfaisant baudet ne manquait pas de braire aux bons endroits, comme si la musique des vers de son maître l'emplissait d'une intérieure admiration.

Ainsi arrivèrent-ils, à la tombée de la nuit, jusque vers une petite montagne qu'ils gravirent ensemble, parce que les chanteurs, aussi bien que les ânes, aiment le voisinage des cieux, ceux-ci pour parler de plus près aux astres, et ceux-là parce que les chardons croissent à merveille sur les sommets qu'ils argentent de leurs étoiles bleues. Le bon Khodja s'assit, en remerciant Allah, dans une excavation rembourrée de verdure qui lui présentait un fauteuil naturel, et son compagnon commença de brouter les chardons aigus, en s'interrompant, pour le regarder, de temps en temps, avec de bons yeux luisants et doux, ronds et lumineux comme des têtes d'énormes clous.

Or, sous la montagne était une caverne, où nous retrouvons, précisément à la même heure la caravane expédiée par Togrul, laquelle s'y venait reposer jusqu'au lendemain matin, ayant déchargé ses bêtes de leurs fardeaux pour les soulager pareillement. Seulement, le pays étant infesté de voleurs de grands chemins, le chef avait eu une idée géniale pour être averti à temps de leur approche. Il avait planté, de bas en haut, l'embouchure d'une immense trompette dans un trou placé au plafond de la grotte et par où le ciel apparaissait comme une larme d'azur suspendue à la pierre, le pavillon de cuivre de l'instrument étant dirigé à l'intérieur de façon que le son emplît l'excavation qui leur servait de retraite. Après quoi, il avait détaché le plus résolu de ses hommes avec mission de grimper sur le roc au dehors, de fouiller l'horizon du regard sans cesse et de souffler dans la trompette à la moindre apparition de bandit. Mais le plus résolu de ses hommes, pris d'une indicible frousse, n'eut de premier soin que d'abandonner son poste.

A un moment donné, cependant, une formidable fanfare retentit dans la caverne, si formidable que la caravane tout entière, laquelle était décidément composée de héros, s'enfuit en abandonnant ses marchandises, ses animaux et ses objets de campement. Or ça qui avait soufflé dans la trompette? Le bon Khodja lui-même, et sans s'en douter, vraiment. N'était-il pas précisément assis au-dessus du trou où venait aboutir l'embouchure de la trompette? Or, l'abondance des images gracieuses qui se pressaient dans son cerveau, par cette belle nuit étoilée, ne se pouvant exprimer tout entière dans les vers qui chantaient sur ses lèvres une partie avait cherché son issue dans quelque autre musique dont l'âne, lui-même—ces animaux ont la gaieté facile—avait ri à se rouler dans les herbes rares et sèches qui adornaient la calvitie du mont.

Épouvanté lui-même de la symphonie qui avait éclaté dans son fauteuil naturel, mon aïeul Khodja avait bondi comme s'il eût été l'obus de sa propre pièce. Mais fort curieux de sa nature, et pas du tout rassuré, il s'avisa d'aller visiter l'intérieur de cette montagne mystérieuse, pour s'assurer qu'il ne reposait pas sur un volcan et que ce coup de grisou n'aurait pas une seconde édition. O merveille! Tous les trésors abandonnés par les lâches envoyés de Togrul tombèrent entre ses mains et il rentra chez lui, colossalement riche, tandis que cette canaille de Togrul était complètement ruinée. Et cela arriva juste à temps pour que mon aïeule Amany—décidément la plus désintéressée des femmes—se convainquit que son mari valait infiniment mieux que l'amoureux qu'elle s'allait donner. Outre qu'il devint riche, mon aïeul Khodja évita ainsi tout malheur conjugal, ce qui prouve que ce n'est pas ça qui porte bonheur, comme on l'entend dire quelquefois.

Et l'homme cacheté de rouge se tut. La nuit couvrait maintenant Marseille de toutes les ombres de son aile éployée. Un vent frais faisait palpiter doucement les voiles triangulaires, pareilles à des coeurs qui se raniment, cependant que la Méditerranée prenait, au clair de lune, des moires bleues et vertes et que je murmurais le nom de l'absente un moment oubliée.

RESTITUTION

RESTITUTION

Pour si superficiels et distraits que soient les hommes de ce temps, il n'en est certainement pas un qui n'ait remarqué, avec admiration, comment l'instruction des affaires criminelles s'est enrichie, de nos jours, d'un nouvel élément scientifique et pittoresque. Plus d'assassinat maintenant qui ne donne lieu à une petite comédie judiciaire où ses moindres circonstances ne soient reproduites avec une scrupuleuse fidélité. C'est la mise en action de la fameuse scène à faire que Sarcey réclame inutilement pour le théâtre. Un homme a-t-il été jeté du haut d'un pont? on en profite pour étudier sur un mannequin, de densité et de forme identiques, les lois de la pesanteur. Un mari est-il mort empoisonné? le ballonnement de son cadavre ne manque pas de fournir aux jurés un élégant mémoire sur la dilatation des gaz en vase clos. Ça amuse et instruit la magistrature en même temps. Aussi vous n'imaginez pas combien les juges sont furieux, quand un accusé rend cette petite représentation inutile par l'exactitude et la clarté évidentes de ses aveux. J'en connais qui prétendent qu'on doit passer outre et se méfier de confidences évidemment intéressées.

Tel était l'avis du juge d'instruction Ventéjoul qui, dans son petit tribunal de Castelbajac-sur-Dringue, enrageait de n'avoir pas encore eu l'occasion d'appliquer cette mirifique méthode de la restitution du crime, une désastreuse moralité régnant dans ce paisible chef-lieu d'arrondissement. Mais comment voulez-vous que se distinguent les magistrats de province? Autrefois, ils avaient la politique, et le 16 Mai a été un bon marchepied pour quelques-uns. Mais maintenant! Il n'y avait d'aussi furieux que le procureur Mirapet qui n'avait à défendre la société que de vétilles indignes de son éloquence. Rien à mettre sous la dent creuse de la Justice que de méchants délits, ne prêtant qu'à d'insignifiants réquisitoires. C'était vraiment une désolation. Mme Ventéjoul et Mme Mirapet partageaient la désespérance de leurs maris. Très pieuses, l'une et l'autre, elles demandaient tous les jours, à Dieu, qu'un bon assassinat ensanglantât la commune et sortît enfin leurs époux d'une injuste obscurité.

Enfin, Dieu les exauça, il y a quelques semaines. Un bon crime jeta la terreur dans le territoire de Castelbajac-sur-Dringue. Dieu fit même largement les choses. Il dota cette intéressante cité d'un crime passionnel, la variété de crime la plus recherchée. Un mari offensé, le bourrelier Tireloupe, ayant surpris sa femme couchée avec le forgeron Bonivet, n'avait pas hésité à tirer sur celui-ci. Mais, ayant manqué d'adresse, il avait tué sa femme. N'importe! Il y avait eu, Dieu merci! un malheur. Ce Bonivet, qui l'avait échappé belle, attirait d'ailleurs particulièrement l'attention sur lui. C'était le plus beau gars du pays, le plus solide, le plus entreprenant avec les femmes, et toutes étaient intérieurement ravies qu'il n'eût pas étrenné comme il l'avait mérité.

Quand, de grand matin, les gendarmes vinrent réveiller M. le procureur Mirapet pour lui donner cette bonne nouvelle, celui-ci bondit de joie et les envoya bien vite carillonner à l'huis de M. le juge Ventéjoul. Il fallait se concerter à l'instant et restituer le crime dans son décor avant que rien y fût changé. Malheureusement, le médecin, immédiatement appelé auprès de l'assassinée, l'avait fait transporter dans un autre lit, et tout le monde comprit qu'il serait odieux, voire sacrilège et abominable, de faire jouer un rôle à ce misérable cadavre dans une représentation, même donnée à la justice. Les parents de la morte réclamaient cette dépouille, et le sentiment public était pour qu'elle leur fût rendue.

—C'est tout à fait fâcheux! fit le procureur Mirapet.

—C'est désespérant, ajouta le juge Ventéjoul.

Et tous deux se regardèrent avec infiniment de mélancolie.

—On pourrait mettre un mannequin dans le lit du crime, hasarda Ventéjoul.

—Peuh! fit Mirapet. L'illusion n'y sera plus.

Alors le juge, se frappant soudain le front, ce qui fit un bruit de calebasse.

—Il faudrait trouver une femme de bonne volonté qui voulût bien remplacer la bourrelière.

—Mme Mirapet est trop dévouée à mon avancement pour me refuser cela! s'écria le procureur comme illuminé.

—En tout cas, Mme Ventéjoul est prête à rendre à la magistrature ce service.

—Je n'accepterais votre dévouement, mon cher collègue, qu'au cas où vous jugeriez à propos de reproduire d'abord la scène de l'adultère.

—Grand merci, mon cher procureur! Tenons-nous-en à celle de l'assassinat.

M. Mirapet rentrait, un instant après, chez lui, et annonçait à Mme Mirapet la preuve de confiance dont elle avait été investie par la justice. Celle-ci ne sourcilla pas et se trouva intérieurement très honorée. Notez que cette dévote personne était, en même temps, une fort jolie femme, blonde, blanche, grassouillette, avec des fossettes partout, appétissante en diable et que la vie provinciale condamnait, seule, à une vertu contre laquelle protestait son égrillarde physionomie.

Mme Ventéjoul fut un peu jalouse de n'avoir pas été choisie. Mais son mari la calma en lui promettant qu'elle assisterait à la restitution du crime. C'était aussi une fort jolie créature, de beauté bourgeoise mais abondante, et qui avait un faible prononcé pour le seul militaire du chef-lieu d'arrondissement, le beau Victor de Bondéduit, capitaine de gendarmerie. Or, ce gentilhomme maréchaussesque ne saurait manquer d'assister à cette expérience et de la recevoir dans ses bras quand elle se trouverait mal.

Tout allait donc à souhait et le pays d'ordinaire morne, était en liesse, grâce à l'excellente idée qu'avait eu ce Tireloupe d'assassiner sa femme. Et on parle sérieusement de moraliser les masses!

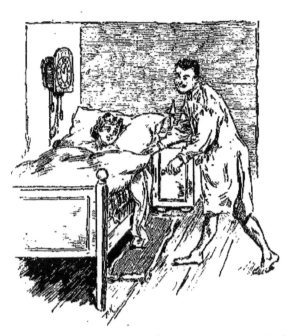

A l'heure indiquée, un cortège, magnifique vraiment, sortit du Palais de Justice. Douze gendarmes, commandés par le vaillant Bondéduit, l'escortaient, sabre au clair. Le reste de la force armée veillait sur place, sur l'assassin et sur Bonivet, qui n'avait jamais été plus en mâle beauté de rude manieur de fer. Mme Mirapet avait été conduite en voiture sur le lieu du crime. Sa femme de chambre était en train de la déshabiller suffisamment pour qu'elle fût plausiblement couchée dans le lit du bourrelier.—Un: garde à vôss! terrible retentit sous la fenêtre, suivi d'un bruit de bottes qui cherchent l'unisson sur le pavé. Le procureur, le juge d'instruction et le capitaine de gendarmerie entrèrent dans la chambre de l'assassinat. Mme Ventéjoul fut bien installée à une porte qu'on laissa ouverte, pour qu'elle ne perdît rien du spectacle émouvant qui allait se dérouler. Tireloupe fut armé du revolver qui lui avait servi à tuer sa femme, mais chargé à blanc seulement, cette fois-ci. Il devait demeurer embusqué derrière une autre porte jusqu'à ce qu'on lui commandât de répéter exactement, mais en simulacre, ce qu'il avait déjà fait.

Puis on introduisit le magnifique Bonivet dans le costume sommaire qu'il avait au moment où le bourrelier l'avait surpris.

—Mon ami, lui dit M. Mirapet on le voyant s'acheminer vers le lit où Mme Mirapet était déjà étendue, peut-être auriez-vous pu mettre un caleçon.

—Impossible! répliqua sévèrement Ventéjoul un peu vengé, il n'en portait pas au moment du crime.

—Eh bien, nous abrégerons alors un peu! reprit Mirapet. Mettons-nous tous derrière la porte d'où l'assassin s'élancera en tirant, que nous n'ayons pas la figure brûlée par la poudre.

—Vous avez raison, fit le prudent Ventéjoul, tandis que le capitaine de gendarmerie se mettait de préférence derrière l'autre porte où était déjà Mme Ventéjoul.

—Pan! pan! pan! pan! fit au signal Tireloupe.

Mais, crac! le déplacement de l'air par le fait des quatre détonations répétées fit ouvrir une fenêtre et un brusque courant ferma les deux portes de la chambre du crime, laissant tout le monde dehors, sauf Mme Mirapet et le forgeron Bonivet, toujours docilement couchés côte à côte. On s'élança; mais les deux clefs ouvraient en dedans.

—Ouvrez! ouvrez! hurla Mirapet.

—Ma foi, non! répliqua la voix tranquille de Bonivet. Ça ne me regarde pas!

On cogna ferme contre les deux portes. Mais elles étaient d'une remarquable solidité.

—Vite, un serrurier!

Mais le serrurier le plus voisin, quand il sut qu'il s'agissait d'éviter un désagrément à M. Mirapet, qui lui avait récemment octroyé huit jours de prison pour une bêtise, fit semblant d'avoir perdu sa trousse.

C'est une heure seulement après que l'huis fut ouvert.

—Enfin, mon ami! fit Mme Mirapet avec un air de reproche, j'ai cru que vous ne reviendriez jamais.

Mais il n'y avait aucune douleur réelle, et surtout aucun regret dans son accent.

Quant à Mme Ventéjoul, suivant le programme qu'elle s'était, par avance, à elle-même tracé, elle s'était évanouie au premier pan! dans les bras du beau capitaine Bondéduit qui l'avait soignée avec un dévouement exquis.

Le procès-verbal de cette séance de restitution d'un crime fut légèrement et volontairement tronqué par M. le greffier du tribunal de Castelbajac. On en tira un excellent parti à l'audience des assises. Néanmoins, le jury, fidèle à ses traditions magnanimes envers les maris assassins, acquitta Tireloupe avec quelques éloges sur sa fermeté. Heureusement que Mirapet avait retenu, contre Bonivet, le délit d'adultère, dont il prit une joie féroce à lui faire appliquer la plus sévère pénalité!

SUR LE TERRAIN

SUR LE TERRAIN

C'était musique militaire sur les allées Lafayette, à Toulouse, où me voici revenu, une fois encore, pour ouïr de jolis contes gascons, comme la Garonne en roule, dans son flot d'argent, avec le murmure de ses cailloux. Sous les arbres déjà poudreux de la longue promenade qui vient mourir sur les rives du Canal, la bonne paresse méridionale s'ébattait, bercée par un de ces...

...concerts riches de cuivre

Dont les soldats parfois inondent nos jardins,

Et qui, par les soirs d'or où l'on se sent revivre,

Versent quelque héroïsme au coeur des citadins.

comme a dit excellemment Baudelaire. Et c'était merveille de voir passer, dans le brouhaha des piétons, les belles filles de sang latin, aux chevelures noires, fières de toute la blancheur de leur front et souriantes de toute la blancheur de leurs dents, beaux fruits ensoleillés, tentateurs surtout aux rêves de volupté. Car, en l'artistique cité où une admirable composition peinte de Falguière fera rayonner bientôt le triomphe de Clémence Isaure, est demeuré ce qu'il y avait de meilleur dans l'âme antique: un désir tout païen, violemment charnel de la Beauté. Aussi reste-t-elle, en ce temps plus épris d'argent que d'idéal, l'immortelle patrie des statuaires qui vivent surtout de gloire et en meurent quelquefois.

Comme il convient, les soldats en permission abondaient en cette cohue au mouvement lent de flux et de reflux sur le sable, mer vivante se gonflant et s'aplanissant suivant les caprices de l'harmonie. Tels le fusilier Pétoine et le fusilier Tancrède qui marchaient, côte à côte, en reluquant les jeunesses, et en tortillant, entre leurs doigts, des badines qu'ils avaient coupées dans un ramier du Bazacle. Car c'est une innocente manie des militaires de se tailler des cannes partout où ils rencontrent un coin de bois; et le Conseil municipal qui siège au Capitole ne les traite pas pour cela comme notre bien-aimé prince de Sagan.

Et, comme toujours, Pétoine et Tancrède causaient des embêtements de la vie du soldat. Tous les deux, fils du peuple, ils se plaignaient amèrement de l'invasion de l'ancienne noblesse dans les rangs de l'armée, par suite des beautés démocratiques du volontariat. Les régiments étaient maintenant pleins de godelureaux titrés qui faisaient leur tête au nez de l'humble fantassin. Ces messieurs avaient toujours de l'argent dans leur poche pour s'offrir mille douceurs en dehors du service, que c'en était tout à fait scandaleux. Ils n'osaient pas absolument être impertinents avec leurs camarades; mais ils leur faisaient sentir, à tout propos, les abîmes sociaux demeurés dans leur seule imagination. Car, enfin, tous les hommes sont égaux devant la Loi, sinon à quoi bon la Révolution! Il y avait surtout, dans la compagnie, un certain comte (comme s'il y avait encore des comtes!) de La Lézardière qui était la bête noire de Pétoine absolument. Ce résidu de l'ancienne noblesse gasconne avait l'humeur volontiers hâbleuse des gens de son pays et passait sa vie à le tourner en ridicule, lui, Pétoine, qui, précisément, avait horreur qu'on se fichât de lui. Tancrède prenait fait et cause pour son camarade, et tous les deux secouaient furieusement leurs badines en l'air, dans un cinglement de colère et de menace contre ce qui reste des vieilles souches d'autrefois.

—Vois-tu, disait Pétoine, tant que je n'aurai pas fait baiser la doublure de mes chausses à ce citoyen-là, je ne serai pas content.

Et il indiquait, du geste, que sa culotte rouge n'était doublée que de sa propre peau.

—Ça, ça ne sera pas facile, répondait Tancrède, en se pourléchant toutefois ses babines plébéiennes à cette idée d'humilier la noblesse à un tel point.

—Patience! reprit Pétoine, on verra bien.

Et, comme la musique avait jeté au vent ses dernières volées, que le public se dispersait lentement par les rues avoisinantes et que les belles filles aux chevelures noires n'étaient plus que comme un vol rare d'hirondelles dans le petit nuage gris de poussière qui flottait encore sur la chaussée, Pétoine et Tancrède rentrèrent à la caserne pour y manger très médiocrement, cependant que notre précieux comte de Lézardière s'allait gonfler de mets savoureux chez Tivolier, en compagnie d'une drôlesse de marque qui lui donnait sa main blanche à baiser, entre chaque plat. Ah! si Pétoine avait vu ça, quelle exaspération furieuse de son rêve.

Le lendemain matin, c'était leçon d'escrime, une leçon que Pétoine et Tancrède recevaient avec une particulière mauvaise volonté. C'était, cependant, un bon vieux maître d'armes, plusieurs fois réengagé, qui la donnait, et de la vieille école, aujourd'hui presque disparue. Car le maître d'armes de régiment est volontiers devenu, aujourd'hui, un élégant gentleman. Le père Trousse-Faquin était sensiblement d'une autre génération. Très expert dans son art, il n'avait d'ennemi, au monde, que la langue française. Mais ce qu'il lui en faisait voir! Vous lui auriez promis la couronne de Danemark, avec le titre d'Hamlet XXVII, que vous ne l'auriez pas empêché de dire un «contre de carpe» et le «poumon» de l'épée, sans préjudice du verbe «feinter», qu'il employait jusque dans ses temps les plus invraisemblables. Mais, à ces querelles près avec l'orthographe et la syntaxe, quel homme sublime, que ce vieux troupier! Mais c'était dans les affaires d'honneur entre autres troupiers qu'il était surtout incomparable, dans ces duels qui ont lieu, nus jusqu'à la ceinture, devant une légion de camarades admis à ce spectacle comme à une leçon de courage.

Humain, prudent, paternel au fond, notre Trousse-Faquin ne faisait grâce à ses clients d'aucune de ces subtilités que la tradition militaire introduisit dans ce genre de combats singuliers. Il en avait, lui-même, commenté le formulaire en une rédaction de son cru et de son style. A signaler ce dernier chapitre qu'il gardait, comme on dit, pour la bonne bouche, quand il guidait des soldats sur le terrain: «Aussitôt qu'un des adversaires (il prononçait: «anniversaire») est touché, l'autre doit généreusement, et oubliant toute rancune indigne d'un soldat, s'approcher de lui et sucer légèrement le sang de sa blessure afin d'éviter une extravasion du liquide vital ou quelque autre accident préjudiciable à la santé.»

Or, le maître d'armes, entre deux séances de plastron, était en train de lire ce petit document à ses élèves, quand Pétoine et Tancrède entrèrent dans la salle, celui-ci, une main sur la joue artificiellement gonflée, celui-là, boitillant faussement, dans le but évident de se soustraire aux délices de la planche.

Quand Pétoine eut entendu, il poussa du coude Tancrède, qui porta son doigt à son nez, en signe de méditation véhémente. Puis, par extraordinaire,

Pétoine, cessant sa boiterie mensongère, alla au-devant de la leçon. Ce que le La Lézardière se moqua de lui, en le voyant sous les armes! Lui, était de première force, et redouté de tout le bataillon.

Et ça n'empêcha pas que Pétoine, après avoir retiré sa veste, lui flanqua une gifle monumentale pour lui apprendre à se divertir à ses dépens.

Un tel outrage demandait du sang, et le vieux maître d'armes convoqua nos deux gaillards à une rencontre, le lendemain matin, après avoir adressé au colonel un rapport dont la réponse était prévue.

Une délicieuse matinée, ma foi, que celle du lendemain. Cependant que la ville s'éveillait sous l'éternel tintinnabulement de ses cloches, Saint-Sernin donnant la réplique à Saint-Étienne et le Taur à la Dalbade, au bord du fleuve, plus loin que le pont de Saint-Cyprien, un joli frisson d'argent courait sous les saulaies et les bergeronnettes, secouant des perles à leurs longues ailes, égratignaient l'eau avec de petits cris joyeux. Les toits rouges semblaient courir les uns après les autres au cours de la Garonne, comme s'ils fuyaient l'incendie allumé à l'Orient, l'incendie aux hautes flammes qui flambait au bord du ciel. Le comte et son adversaire, un peu grelottants, toutefois, leur chemise enlevée, dans cette buée de rosée aurorale étincelante aux brins d'herbes, étaient déjà en face l'un de l'autre, le fer au poing, n'attendant que le «Allez, messieurs!» qui les devait lancer l'un au-devant de l'autre. Car l'excellent Trousse-Faquin les avait fait tomber en garde, en arrière, après avoir mis leurs épées bout à bout. Les distances se rapprochent au signal et les fers se tâtent en de petits battements préliminaires. La Lézardière affectionne une attaque dans la ligue basse et Pétoine pare seconde avec acharnement jusqu'à ce que, un coup lui semblant porté à la hauteur voulue, il se retourne brusquement et le reçoit au derrière.

—Arrêtez! s'écrie le maître d'armes, stupéfait.

Et, au milieu de l'étonnement général—car toute la compagnie était confidente de ce combat—il ajouta, en s'avançant vers Pétoine:

—Vous êtes blessé; ôtez votre pantalon.

Pétoine obéit. Le coup était léger, l'adversaire ayant, malgré lui, retenu la main devant cette parade imprévue. Mais, enfin, la peau était entamée.

—Fusilier La Lézardière, vous savez ce qui vous reste à faire.

Et le malheureux comte fut obligé de se mettre à genoux, pour faire, à Pétoine triomphant, un semblant de ponction là où celui-ci s'était juré de lui faire mettre la bouche.

On en rit encore dans le régiment.

LES BOTTES

LES BOTTES

Ce n'est pas sans une mélancolie inquiète que je vois, aux vitrines des bottiers du boulevard, ces chaussures anglaises, étroites et longues, ayant vaguement l'air de cercueils élégants où le pied doit s'emprisonner dans une boite de cuir sans concessions à ses formes originelles. Il en sortira certainement une ou plusieurs générations dont les extrémités inférieures n'auront plus rien de latin. C'est tout simplement la race attaquée dans un de ses signes originels et celui qui comportait le plus d'aristocratie. Car, si peu que vous connaissiez l'oeuvre de Darwin, vous savez que notre organisme se modifie plus rapidement qu'on ne l'imagine, suivant les conditions extérieures où il se développe. La fabrication des monstres n'a pas d'autres secrets. Nous allons gaiement à la monstruosité et vers des hérédités ridicules. Car les infirmités se développent aussi par ces fantaisies de la mode. Pour les hommes, cela m'est assez indifférent. Mais les jolis petits pieds de nos femmes de France transformés en longues pattes de Teutonnes ou de Saxonnes, vous conviendrez avec moi que c'est une abomination!

J'en contais mon inquiétude à mon vieux camarade de promotion Landrimol, qui a quitté depuis déjà longtemps le service pour se livrer à la science, comme beaucoup de polytechniciens sur le retour, et loin de me rassurer, il insista sur le bien-fondé et me donna, à l'appui de mes propres craintes, une preuve tirée d'une vieille histoire de garnison à lui personnelle. Courteline ne m'en voudra pas d'une simple promenade sur son territoire militaire. C'est, d'ailleurs, Landrimol qui parle. Vous vous en apercevriez immédiatement à son absence de tout accent toulousain.

—Or donc, me dit-il, c'était en 1875, je crois. La mode était à une façon de chaussures à la poulaine qui se terminait en pointe, mode excellente pour donner du pied au derrière aux impertinents. J'étais, comme tu le serais encore, un officier ayant quelque coquetterie, un peu trop replet déjà, tout naturellement préoccupé de sa toilette, soucieux de plaire aux dames de la ville. Car nous occupions précisément une garnison où les militaires étaient bien vus du sexe aimable. Nous autres artilleurs, surtout, faisions prime. Nous avions, je ne sais pourquoi, la réputation d'être plus discrets que les hussards et les dragons. Le fait est que nous ne parlions jamais de nos succès qu'au café et à dix ou douze amis intimes seulement.

De plus, nous étions, pour les maris, un élément de distractions plus sérieuses. Nous savions tous jouer au whist et quelques-uns aux échecs. Notre bonne éducation et notre sentiment naturel de justice compensatrice nous faisaient mettre ces talents honnêtes au service des bourgeois que nous trompions indignement. Belle existence au demeurant et que tu regrettes sans doute, comme moi.

—Certes, lui répondis-je. Je ne peux pas entendre encore passer un défilé de canons sans que le coeur me batte. Le bruit des caissons sur le pavé me bat dans la poitrine. Nous avons des camarades généraux, Landrimol. Ils sont du Conseil supérieur et nous ne serons jamais de l'Académie. Nous avons été, toi et moi, des fous de quitter cette *Alma parens* qu'est l'armée. Il n'y a encore de grand au monde que le drapeau. Mais continue.

—Je ne sais pas si tu avais remarqué, malgré mes affreuses bottes de l'École, que j'avais un très joli pied pour un homme. Tout en maugréant contre cette mode qui les terminait, une fois vêtus, en tiges de paratonnerres, j'avais vite adopté les nouvelles chaussures et leur confiais, au moins autant qu'à mon esprit naturel, le soin de séduire les belles. Car beaucoup de femmes mettent longtemps à s'apercevoir que vous êtes spirituels, qui, d'un coup d'oeil, ont remarqué comment vous étiez chaussés. J'en arrivais même à marcher un peu comme les malheureux canards que d'infâmes forains font danser sur des plaques rouges pour amuser les badauds, tant j'emprisonnais étroitement mes orteils dans ces cachots séducteurs. Or, nous avions pour colonel un gaillard qui ne transigeait pas avec l'ordonnance et qui avait, entre autres maximes, celle-ci, renouvelée, disait-il, de Napoléon: «C'est le soulier qui fait le soldat.» Ce qui n'est pas autrement flatteur pour le courage. Un jour, m'apercevant ainsi boitillant:—Qu'est-ce que c'est que ça, capitaine?» fit-il en regardant mes pieds. Et il ajouta gracieusement, en soufflant dans la paille argentée de sa moustache:—«Vous me ficherez huit jours d'arrêt pour porter ces bottes ridicules quand vous êtes en tenue de service.»

Et il tourna les talons, de larges talons où s'encadraient de lourds éperons, en laissant retomber la paille argentée de sa moustache. Je regagnai rapidement le quartier pour prévenir tous mes camarades qui, comme moi, faisaient les jolis dans des bottes à la poulaine, comme en portait le bon roi Charles VI, sans les employer, toutefois, à donner du pied au derrière des Anglais qui avaient méchamment envahi son royaume.

Ce fut une rumeur d'indignation contre le colonel. Mais, avec la discipline, il n'y a pas d'accommodements. C'est une des choses qui la distinguent du ciel, où chacun joue de la harpe ou du trombone devant l'Éternel comme il lui plaît.

Donc, le corps tout entier des officiers se précipita à la cordonnerie du régiment. Il fallait, à tout ce monde et sur l'heure, des chaussures à bout carré, ces fameuses bottes d'ordonnance dont la forme est invariable depuis les guerres de Napoléon. Mais le maître-bottier était surchargé de besogne. Impossible de satisfaire personne. Il faudrait au moins quinze jours pour exécuter la commande sur mesure. «—Au moins, en avez-vous d'occasion?» demanda le choeur avec angoisse. «—Peut-être oui! J'ai, je crois, là, quelques douzaines de paires ayant déjà un peu servi, répondit l'éminent savetier: mais elles ne sont pas à moi. Je me suis chargé simplement de les vendre par complaisance. Je crains, d'ailleurs, que ce ne soit un peu cher pour vous.» «—Nous vous les prenons à n'importe quel prix!» répliquèrent les malheureux. Et l'infâme bottier nous fit payer vingt francs pièce une marchandise qui n'en était plus depuis longtemps à l'émotion inséparable des premiers débuts. Si bien que, le soir même, il n'y avait plus un officier dans le régiment d'artillerie dont les pieds ne fussent enfouis dans d'horribles bottes quadrangulaires. Le lendemain, le colonel, qui avait son idée, passa une revue de détail. Il eut un épanouissement de visage en voyant cet affreux spectacle, et soufflant, comme il avait toujours soin de le faire avant de parler, dans la paille argentée de sa moustache, il nous dit, une main tournée derrière le dos: «Enfants, je suis content de vous!»

Dans l'après-midi, ce ne fut pas sans un certain embarras que nous fîmes, en sortant du café, la petite promenade accoutumée, jusqu'au mail, où les dames commençaient leur promenade, en longeant, pour s'y rendre, les boutiques où de jolies filles se montraient aux vitrines dès que passait un uniforme. C'est en groupes de deux ou trois que nous marchions, nous suivant un peu par grades, une cigarette aux lèvres, donnant quelque chose de contraint et de mystérieux aux sourires de reconnaissance. Les maris étaient encore qui à l'audience qui à leur comptoir, qui à l'étude ou à la caisse et c'était un moment délicieux vraiment, sous les grands arbres où l'on se rencontrait sûrement, par simple intuition de sympathie et sans s'être donné rendez-vous.

Ce jour-là, ce fut positivement un désastre.

Ces dames et ces demoiselles aussi, par habitude, passaient leur revue de détail. A peine arrivées aux pieds, nous les voyions surprises d'abord, puis étouffant, dans la dentelle de leurs mouchoirs, des sourires absolument impertinents. Et plus le défilé avançait sous leurs regards impitoyablement scrutateurs, plus leur gaieté devenait joyeusement insolente. Onques ne vit-on plus jolies dents blanches mettre comme un frisson de lait aux calices de plus de roses à peine entr'ouvertes.

Et nous faillîmes rire aussi, de moins belle humeur cependant, quand un retour sur nous-mêmes nous révéla le secret de leur hilarité. Nous étions tous, non seulement chaussés comme des Auvergnats, mais nous avions tous un énorme oignon sur l'orteil droit, accusé par un renflement montueux du cuir. Toutes ces paires de bottes avaient appartenu au même propriétaire qui était pourvu de cette infirmité, et ce propriétaire était... devine qui? le colonel dont s'expliquait ainsi à merveille la rancune contre les officiers trop élégamment chaussés. Eh bien! plusieurs d'entre nous contractèrent des oignons par le seul usage de ces chaussures autrefois mal habitées. On reconnaissait notre provenance quand nous changions de régiment.

—Ah! Landrimol, m'écriai-je, absolument ému par ce récit, *di avertant omen!* Mais que deviendront les pieds mignons de nos jolies femmes de France, si l'Angleterre continue à sévir chez nos cordonniers! C'est déjà trop de sentir le sol sacré de la Patrie foulé par les souliers seulement de l'étranger!

L'ARCHE

L'ARCHE

C'était par un des jours les plus monotones de cet été pluvieux. A peine, par instants, l'eau avait-elle cessé de rayer le ciel. Encore ces rapides éclaircies avaient-elles été occupées par l'égouttement des frondaisons continuant l'ondée. Rien que le spectacle monotone de l'averse s'enflant ou se dégonflant au gré de la crevée des nuages courant, éperdus, sur le ciel; rien que le bruit égal des gouttes fouettant les vitres et s'alourdissant en s'écrasant. La mélancolie automnale devançait l'appel des déclins et d'involontaires moqueries s'attachaient aux pauvres diables que, de notre croisée, nous voyions patauger en des lacs que de nouvelles poussées de pluies couvraient de petits champignons d'argent semblant pousser tout seuls. Il n'est que les roses dévastées par cette poussière d'ouragan humide pour qui celle qui partageait avec moi cette vue eut quelque pitié. Les femmes, dans ce monde, ne plaignent guère que les fleurs.

Et cela continuait, continuait toujours, avec des mensonges d'apaisement, comme les querelles entre ceux qui ne s'aiment plus. Par moments, l'horizon était traversé de sillons bleu pâle, comme par une flèche de turquoise qui s'enfonçait bientôt dans l'ouate sombre des nues. Le couchant lui-même avait inutilement allumé son brasier invisible, derrière le rempart d'ombre qui était l'Occident. A peine avait-il promené un peu de fumée rose dans les gris mornes dont cette muraille était peinte, et quand enfin, nous fermâmes les persiennes, sans qu'aucune étoile nous eût dit bonsoir, nous enfermâmes en nous—au moins, puis-je le dire de moi—toutes les tristesses de cette journée sans soleil, de ces douze heures aux ailes mouillées comme celles des bergeronnettes, lasses elles-mêmes de cette trempée sans merci.

Or, nos rêves nous venant le plus souvent des impressions du jour évanoui, celui que je fis et vais vous conter n'a rien d'étonnant, au moins pour les psychologues de fantaisie, lesquels il ne faut pas confondre avec les psychologues de carrière qu'enrichit le roman contemporain. Je dois reconnaître cependant que, pour être le plus naturel du monde, mon songe n'en est pas moins curieux et mêlé d'imaginations surhumaines. Dieu ne m'apparut-il pas! Non pas, il est vrai dans un buisson ardent comme à Moïse. Non! un Dieu à la moderne, un Père Éternel bon enfant, presque fin de siècle, ayant certainement entendu dire que les comédiens étaient les dieux de l'époque. Car il rappelait plutôt Coquelin que Jéhovah, ce qui me mit tout de suite plus à mon aise. C'est sur un ton de protection qu'il me dit, en caressant la pomme de diamant de sa canne:

—J'en ai de nouveau assez, de l'humanité, et je vais commander un nouveau déluge. Mais tu as l'air d'un bon enfant, et je te sauverai.

—Vous savez, Seigneur, lui répondis-je avec franchise, que si vous ne sauvez pas en même temps que moi, ma bonne amie, je refuse ma grâce. Vivre sans elle, me serait plus douloureux que mourir.

—Tu es un bon jobard, reprit le maître du monde, en riant. Elle te rend donc bien heureux?

—Le plus malheureux du monde, propriétaire du Paradis. Elle passe sa vie à sa toilette, et c'est toujours pour plaire à d'autres qu'à moi. Elle me ruine à la journée et me rend ridicule à la nuit. Mais cela n'empêche que je l'aime infiniment et ne me saurais séparer d'elle.

—Tu es encore plus bourrique que je ne l'imaginais; mais c'est pour cela que je me suis tout de suite senti pour toi quelque sympathie. Je la sauverai aussi, pour qu'elle continue à se fiche de toi. Tu sais ce qui te reste à faire?

—Je ne m'en doute pas seulement, régent des étoiles.

—Rappelle-toi l'exemple de Noé.

—Quoi! Seigneur, vous voudriez que je me grise comme un portefaix, et que je montre l'envers de mes chausses à mes enfants? Et comment le ferais-je, inventeur du soleil, puisque vous ne m'avez donné qu'un postérieur et pas de postérité?

—Noë ne se distingua pas seulement par cet acte de confiance envers ses fils. Ne te souviens-tu plus de l'Arche?

—Comment, automédon des nuées, il faut que je bâtisse un petit navire pour m'y installer avec mon adorée et une paire de toutes les bêtes vivantes, pendant quarante jours?

—Je t'autorise à n'emmener que les animaux qui te plairont.

—Ce sera vite fait, Dieu de bonté. Les deux chattes que nous aimons nous suffiront amplement, d'autant qu'elles accoucheront, l'une et l'autre, dans quelques jours.

—Je vois que tu as des goûts de concierge. Tu remplaceras, un jour, saint Pierre, qui commence à se faire vieux. Tu ne veux pas un domestique pour faire tes chaussures?

—Oh! non, empereur des destinées! Je ne vous dissimulerai pas que l'idée d'être tout à fait seul à seul avec celle que j'aime, pendant six semaines, me ravit absolument. Elle va enfin, pour la première fois, m'appartenir tout à fait. Elle ne passera plus ses journées à lisser son admirable chevelure pour en faire comme un lac d'ombre glissant où trébuchent les désirs des amoureux; elle n'affinera plus la flèche aiguë de son regard dont la pointe d'or jaillit d'un carquois de velours; elle ne méditera plus, devant son éternel miroir, les sourires mortels à mon honneur, qui mettent aux coeurs d'invisibles morsures, comme de méchants frelons cachés au coeur d'une rose; elle n'échancrera plus savamment ses corsages pour en caresser seulement les cimes neigeuses de sa poitrine; elle oubliera l'art des coups de pieds savants qui entr'ouvrent l'ondulation des jupes sur la soie bien tirée du bas. Tout le temps consacré à ces billevesées malintentionnées pour mon repos, vraisemblablement elle le passera à me cajoler et à me rendre la vie la plus agréable du monde. Et je mettrais un tiers, même un subalterne, même un esclave entre ces espérances d'intimité délicieuse et mon bonheur prochain! Non, Seigneur, j'aimerais infiniment mieux cirer mes souliers moi-même, et surtout les siens.

—A ton aise, mon gaillard. Je ne suis pas, d'ailleurs, fâché d'anéantir complètement la race des domestiques, qui me dégoûte particulièrement. Les gouvernements de l'avenir, quand ta bonne amie et toi vous aurez repeuplé le monde, s'en tireront comme ils pourront. Adieu! Je rentre au Paradis, qui n'est pourtant pas le séjour amusant que l'on imagine. Oh! si je n'avais écouté que les intérêts de mon propre plaisir et de ma gaieté, c'est certainement le vice que j'aurais encouragé, pour me faire une société, et non pas la vertu.

Et sur cette pensée morale, Dieu disparut en cinglant l'air de sa jolie petite canne à pomme d'or.

Les rêves vont vite. Peut-être est-ce les morts qui leur prêtent leurs ailes. L'arche était achevée. J'avais choisi, pour la construire, et par galanterie, le bois de rose. L'intérieur était confortable, avec des portières et des tapis partout, et j'avais ménagé, à la poupe, une serre où j'avais réuni les plus belles variétés de roses. Nous n'y étions pas montés depuis un instant, une chatte chacun sur le bras, laquelle entr'ouvrait, inquiète, sa gueule rose, avec un miaulement si doux qu'on eût dit un roucoulement de tourterelle, que Dieu lâcha les écluses du ciel. Nous fûmes, d'abord, un instant cahotés par les mouvements violents de l'eau qui se précipitait dans les terrestres ravins, s'enroulait en remous autour des montagnes, écrasait les forêts du poids meurtrier de son écume, se brisait aux derniers pics en de terribles éclaboussements. Mais quand nous en eûmes fini avec les aspérités naturelles et artificielles de notre globe, la place où vivaient les hommes tout à l'heure n'étant plus indiquée que par des débris flottants, des épaves et des ruines légères remontant à la surface, ce fut une impression adorable de navigation tranquille sur un lac immense, qu'aucun souffle n'agitait. Car nous avions dépassé bientôt la sphère des courants dont le mistral et le simoun sont les rois. Et quand vint le premier matin, après une nuit exquisément bercée par les éléments, je proposai à ma bien-aimée de demeurer encore au lit pour goûter plus longtemps cette béatitude. Mais elle en sauta, légère comme une gazelle du désert, et commença de dérouler, sur ses épaules, la nuit vivante de ses magnifiques cheveux d'où le peigne tira bientôt de magnifiques étincelles bleues. Puis elle affina son regard, médita son sourire, demeura tout le jour à sa toilette comme à l'accoutumée. Après quoi, elle se décolleta savamment et cribla sa jupe de petits coups de pieds sournois pour en ordonner les plis suivant certains rythmes de trahison, si bien qu'elle était mise comme pour un bal, avec des fleurs au chignon, quand le ciel, dont nous étions plus proches, s'éclaira des monstrueuses girandoles que nos astronomes appellent constellations. Et des musiques mystérieuses passaient, à cette hauteur, ce que nous croyons les rayons des étoiles n'étant que les cordes d'or des sistres qui les aident à charmer l'immensité. Et l'eau continuant de monter, en nous emportant avec elle, je vis que ma mie souriait et faisait la coquette pour des formes flottantes qui soudain s'agitaient autour de nous, se précisant peu à peu en d'amoureuses poses d'élégance surhumaine. C'était sans doute l'âme des anciens dieux chassés des Olympes qui venait animer ces héroïques figures que j'avais prises, au soleil couchant pour de simples nuées, mais que la lumière fantastique de la lune dessinait dans des phosphorescences d'argent. Et des baisers s'échangeaient, dans l'air, entre ces fantômes séduisants et ma bonne amie, si bien que jamais la jalousie ne me tortura davantage qu'en cette nuit passée dans la caresse des au-delà. Et la nuit qui suivit, ce fut pis encore. Jamais celle que j'aimais n'avait fait, pour de simples hommes, autant de frais que pour le troupeau de spectres prosternés aux pieds de sa beauté. Ah! je commençai à en avoir assez du déluge. La femme! mais elle ferait des agaceries aux arbres, aux fleurs, aux pierres—la mythologie est pleine de ces fantaisies—plutôt que de renoncer à l'exercice de son charme et de son pouvoir!

Une goutte d'eau me réveilla, en me tombant sur le nez, à travers la toiture. Et le lendemain, je repensai à mon rêve en revoyant ma bonne amie promener longuement le peigne dans l'électrique étincellement de sa noire chevelure.

MADAME ANTOINE

MADAME ANTOINE

Depuis l'effroyable temps qui sévit et fait croire les superstitieux à un nouveau déluge, la curiosité publique s'est naturellement enquise des causes d'un tel bouleversement climatérique. On a consulté des membres du Bureau des longitudes qui se sont contentés de répondre que cela ne les étonnait pas. On a interviewé des savants étrangers qui n'ont pas été moins mystérieux dans leur sérénité professionnelle. De superficiels savants ont attribué le dégât général à l'existence de taches sur le soleil. Je croirais plus volontiers, en ce siècle financier, à des trous dans la lune. La vérité est que nul ne sait le pourquoi de ces rigueurs torrentielles qui nous vaudront d'exécrable vin... nul que moi. Et c'est bien simple. Rien n'arrive au monde que je n'en signale immédiatement la cause première. Et quand on me l'a demandée, jamais je ne me suis trompé en répondant: c'est l'Amour!

Cette fois encore, il résulte de renseignements confidentiels, dont quelques-uns me sont venus en rêve, les autres étant le produit de ma sagace observation, que c'est l'Amour «qui a fait le coup», comme disent les gens de police, surtout quand ils ont empoigné un innocent. Et c'est d'un des coins de Paris les plus centraux, il est vrai, mais aussi, en apparence, les plus débonnaires et les plus tranquilles, qu'est partie l'hydraulique fusée qui nous vaut ce feu d'artifice aquatique dont nous redoutons justement le bouquet.

Sachez d'abord, pour être moins surpris de ma découverte, que je suis un des derniers familiers du jardin du Palais-Royal. C'est un de mes enchantements à Paris, et je ne lui préfère vraiment que la place Royale, plus calme encore avec ses quatre faces de maisons en brique à hautes fenêtres, dont l'une fut longtemps celle de Victor Hugo. Dans le bouleversement de Paris par les ingénieurs, ces deux grands jardins encadrés de bâtisses anciennes sont comme deux oasis où semble réfugiée la vie paisible et bourgeoise d'antan. Leurs habitués eux-mêmes—j'en prends mon parti pour moi-même— prennent je ne sais quoi de vaguement provincial et de respectablement séculaire. Tout m'enchante dans ces parterres citadins et jamais l'âme de Camille n'a ressuscité en moi pour y couper une branche aux arbres. L'eau qui pleure dans le grand bassin me rappelle d'admirables vers de Baudelaire. On foule, dans les allées, un sable musical, comme le chemin des songes; on y marche précédé de moineaux francs qui vous font poliment escorte, accrochés çà et là par un vol de cordes à sauter qu'accompagne le rythme de quelque ronde ancienne, poursuivi par la course oscillante des cerceaux, dans le tumulte enfantin et babillard de mille jeux. Que c'est amusant, la voix des toutes petites filles! Elles ment déjà! on dirait un cristal qu'on égratigne. Mais ce qui est admirable surtout, c'est la bonne humeur des commerçants du Palais-Royal, même depuis que leurs boutiques ne sont plus que rarement visitées par quelques étrangers. N'est-ce pas là l'indice d'un bon caractère, certainement entretenu par la pureté de l'air et le spectacle d'un paysage urbain délicieux? Mais l'âme du Palais-Royal, son âme vibrante et vaguement guerrière où passent des souvenirs de liberté, c'est son canon, ce petit canon dont le soleil, ramassé dans une lentille, vient piquer la lumière à midi, et qui part avec un bruit de coup de fouet dont les oreilles sont cinglées.

Or, l'importance de ce petit canon, dans le monde astronomique, est capitale, tout simplement.

Ici se place une révélation qui m'est douloureuse, étant donné mes anciennes relations de camaraderie connues avec le personnel des savants de ma génération. Vous croyez peut-être que ceux de ces messieurs qui, à quelque pas de Bullier, sont censés bombarder le ciel de regards indiscrets, avec leurs puissantes lorgnettes pareilles à des pièces d'artillerie, se donnent ensuite un mal infini pour nous procurer, à l'aide de calculs infinitésimaux, ce qu'on est convenu d'appeler l'heure de l'Observatoire? C'est une illusion qu'il faut que je vous enlève après tant d'autres. Mais la vie est comme un grand arbre dont les feuilles doivent tomber, une à une, sous les souffles impitoyables de la Sagesse et du Destin. C'est aussi comme un chapelet qui s'égrène, comme un vase qui se vide, comme une fleur qui s'évapore. Maintenant que j'ai dissimulé l'horreur du coup sous quelques images nouvelles, apprenez qu'un de ces princes de la science vient tout simplement déjeuner au café Corazza ou chez Véfour (de deux jours l'un, pour ne pas faire de jaloux). Quand le petit canon part, il met son chronomètre sur la douzième heure, entre une douzaine d'huîtres et son premier verre de chablis-moutonne. Ça évite à tout le monde un grand maniement de tables de logarithmes, sans compter l'usure des lunettes. Et c'est comme ça depuis dix ans. Et M. Dujardin-Beaumetz, lui-même, a respecté le budget de l'Observatoire! Eh bien, quoi? Les huîtres fraîches et le chablis-moutonne ont bien leur prix et ne se donnent pas pour rien dans les restaurants.

Que je change de nom avec l'éditeur Schott—ce qui me vexerait beaucoup— si je mens d'un mot dans ce récit!

Il me faut cependant mentir un peu en appelant Mme Antoine la nouvelle Ève, cause de tous les maux de l'humanité citadine, campagnarde et balnéaire durant cet été de malheur. Je m'exposerais à un bon procès en diffamation en vous révélant le nom véritable de cette jolie boutiquière—une bijoutière, s'il vous plaît,—que la vie sédentaire et volontiers assise a dotée d'un adorable embonpoint et merveilleusement placé. Sachez seulement qu'en aucune, le charme bourgeois des dames de commerce ne s'allie avec une distinction naturelle plus parfaite. C'est un sourire vivant, et aux dents très blanches, monté, comme une pierre précieuse, sur un vrai trésor de grâces opulentes et charnelles, tout cela enveloppé d'une grande bonne tenue et d'un petit air effarouché au besoin, quand le client s'enhardit plus qu'il ne conviendrait. Étonnez-vous, après cela, si vous voulez, que le commandant Brusquembille, dont j'altère aussi volontairement le nom, soit amoureux fou de cette séduisante créature et passe le meilleur de son temps en allées et venues devant la boutique dont Mme Antoine est certainement le plus beau bijou. L'amour rend volontiers observateur. Aussi le commandant Brusquembille avait-il vite remarqué que M. Antoine, le mari de celle qu'il aimait, attendait, tous les matins, le coup de canon du Palais-Royal pour commencer une petite promenade hygiénique d'une heure qu'il faisait après son déjeuner. Car tous les événements des hôtes de la vie de ce beau jardin sont réglés plus ou moins par cette petite détonation quotidienne. D'aucuns, en attendent le rappel à l'accomplissement de certains devoirs, ce qui fait que les dames du Palais-

Royal ont autrefois pétitionné pour qu'il y eût aussi un canon de nuit. Les sénateurs qui sont généralement de vieux birbes, tenant à leur sommeil, les ont joliment envoyées promener.

Mais l'Amour rend aussi ingénieux. Le commandant Brusquembille conçut immédiatement le plan de faire parler le canon un quart d'heure avant que le soleil lui prêtât sa mèche accoutumée. En donnant des distractions et en bourrant de consommations le vieux brave qui charge, tous les jours, la minuscule couleuvrine, il parvint à glisser, dans la lumière, une autre mèche dont il avait mesuré la durée avec la prudence et la science d'un mineur. Et pan! le canon tonna quinze minutes à l'avance. M. Antoine sortit, pour sa promenade hygiénique, un quart d'heure plus tôt, et l'entreprenant commandant alla tomber aux pieds de Mme Antoine, encore en train de grignoter son dessert et plus délicieuse à voir que jamais, décortiquant des noix fraîches, du bout de ses petits doigts grassouillets et rosés.

Ce qu'il en fut, après, de l'honneur de ce bijoutier, je m'en moque. Ce sont choses où je ne fourre pas mon nez.

Mais les conséquences de cette fantaisie amoureuse d'un militaire furent incommensurables. D'abord, le savant de l'Observatoire, qui achevait à peine ses oeufs brouillés aux truffes, et qui mit son chronomètre de précision à midi moins un quart, sur l'heure de midi, pendant qu'on lui apportait sa côtelette aux pommes soufflées. Puis, tous les Observatoires d'Europe modifiant leur heure d'après la nôtre. Un millionnaire américain, qui attendait une dépêche à midi juste et qui se suicida, ne la voyant pas venir. Un assassin guillotiné le lendemain quinze minutes avant l'heure, ce qui est une vraie crasse au point où ils en sont. Tous les cochers flibustant ce quart d'heure-là à leurs clients. Un infortuné promeneur qui, confiant dans l'heure véritable, et négligemment appuyé contre le banc qui protège le canon, recevant la bourre en plein dos et ne pouvant plus s'asseoir depuis ce temps. Une vieille dame sourde qui, n'ayant entendu que vaguement la détonation, appela son mari: malpropre! Le soleil, lui-même, un vieux qui a ses habitudes aussi, et qui, ne sachant pas à quoi s'en tenir, perdit complètement la norme de sa course.

Et au ciel, donc! au ciel! Et c'est maintenant que je vais emprunter mes documents au souvenir d'une vision que j'eus durant mon sommeil. Sachez que les astronomes du ciel ne sont pas plus laborieux que les nôtres. Sournoisement, le directeur de l'Observatoire paradisiaque envoie un ange, tous les jours, et le même toujours, prendre l'heure lui-même au canon du Palais-Royal, pour le règlement des jours et des saisons. Or, cet ange, lui-même, n'est-il pas devenu amoureux de la belle Mme Antoine, et, sous l'invisible rideau de ses ailes, ne passe t-il pas à flâner, à la vitrine de la bijoutière, le temps qu'il vole aux intérêts sacrés de la climatérie! Tout comme notre savant, il mit son chronomètre à une heure fictive, en entendant résonner la quotidienne pétarade. Ce n'eût été rien. Mais Mme Antoine, très émue encore de la visite du fougueux militaire, lui ayant fait, sans s'en douter peut-être, une grimace de mépris qu'elle destinait à quelque vulgaire passant, cet ange impressionnable remonta au ciel dans un tel état de fureur et de désespoir qu'il en démolit sa montre en en faisant tourner les aiguilles comme un fou, jusqu'à ce qu'elle avançât de plusieurs mois. Et voilà maintenant comment les saisons n'ont plus de règle, pourquoi les pluies d'octobre tombent en août, pourquoi nos jolies petites Parisiennes sont toutes mouillées en leurs balnéaires stations. *O crudelis amor!* comme dit Virgile. O cruelle Mme Antoine, si tranquillement assise, comme un chanoine aux vêpres, dans son fauteuil large et bien rempli.

L'IZARD

L'IZARD

A mon ami Dat.

Une aube radieuse dans la montagne toute bleue, toute bleue avec des vapeurs roses là où parvenaient, obliques, les flèches de l'Orient, de petites nuées coupant le caprice des cimes; le spectacle grandiose des pics s'escaladant comme en un impatient reflux aux immobiles vagues, et, encore, dans une découpure du ciel d'un bleu très tendre, un fantôme de lune s'effaçant, comme le sourire d'adieu d'une amoureuse très blanche, avec quelques scintillements encore de diamants dans les cheveux.

J'avais redescendu la montée de Saint-Sauveur déjà pareil, à cette heure matinale, à un espalier de lumière, dominant le gave bruyant sur lequel se tend, comme un arc de pierre, le pont de l'Empereur, et j'avais obliqué à droite, sur Lutz aux hôtelleries découpées en chalets et dont les terrasses surplombent aussi des torrents. A peine avais-je rencontré, sur la route, quelques paysans en béret au dos d'un âne aux oreilles scintillantes de rosée. Tout à coup, une forme se dressa devant moi, une figure d'homme dont la barbe longue et fine était tressée et nouée derrière les oreilles, vêtu d'un vareuse d'un gris roux, se serrant à la ceinture, tout en laissant aux mouvements toute leur liberté, et d'un pantalon de treillis à peine plus clair, à la hussarde, bien chaussé pour la marche et coiffé d'un béret clair n'ayant guère plus de développement qu'une casquette sans visière. Ce n'est pas, d'ailleurs, à son costume assez particulier que je le reconnus, mais aussi à l'élégance vigoureuse de ses formes, à la résolution singulière de sa marche, au caractère viril de son visage un peu bistré, au dessin violemment aquilin de son nez, au rayonnement surtout très doux de ses yeux clairs et d'expression limpide, comme ceux des enfants. Il avait, d'ailleurs, sur l'épaule une petite carabine de précision ne ressemblant en rien aux fusils ordinaires de chasse et qu'il m'avait montrée la veille, à Barèges, dans sa petite cabine à la Robinson où sont réunies, dans un cube ayant trois mètres de côté, tout ce qu'il faudrait à une petite armée pour supporter un siège moins long néanmoins que celui de Troie.

J'étais en face de mon ami Rodolphe, le grand chasseur d'izards devant l'Éternel, et je dis: ami, bien que notre connaissance fût de récente date. Mais celui-là est de ceux qu'on aime tout de suite; et puis, toute une légende, quelque chose comme un évangile, avait précédé sa venue dans mes relations affectueuses. On m'avait chanté sa gloire à Saint-Sauveur, chez mon ami Pintat, le savoureux hôtelier; à Barèges, chez Lacoste; à Lourdes surtout, chez Romain Maumus, dont les bons vins font vraiment, comme dans l'antiquité, le Dieu de la gaieté et du rire; chez Soubiran, enfin, à Argelès, où se mangent les truites les plus exquises, et les premières cailles du pays. Il n'est question, tout autour du coeur de la Bigorre, que des cynégétiques exploits de mon ami Rodolphe, et sa renommée s'étend jusqu'en Espagne, à Torna, dont les baladins, d'authentiques gentilshommes qui dansent en des costumes merveilleux, passent la frontière tout exprès pour venir lui demander où en est la fashion des modes françaises, et ce que portent, cette année, les pschutteux au Bois de Boulogne. Mais mon ami Rodolphe se garde bien de leur révéler de pareils secrets et, tout au contraire, en sage et en artiste, les convainc-t-il de demeurer fidèles à leurs belles moeurs patriarcales et à leur si pittoresque costume étincelant au soleil, d'antiques soieries colorées comme des ailes d'oiseaux des îles.

—Vous partez pour la chasse? lui demandai-je en lui serrant les mains.

—Oui et non. J'ai aperçu, l'autre jour, là-haut, un izard dont j'ai pu observer quelque temps les habitudes et dont je connais les relais. Je vais voir s'il lui convient de se laisser approcher aujourd'hui.

—Eh bien! lui dis-je, et c'était la vérité, deux hommes, qui dînaient, hier, à Saint-Sauveur, ont conté devant moi qu'ils en avaient rencontré un le matin même, de cet autre côté, à droite de Gavarnie, entre les branches de cette fourche de neige que vous voyez, là, et attachée à une échancrure du roc, comme à un monstrueux râtelier.

—Oui, je sais, me répondit le chasseur avec une mélancolie soudaine dans ses yeux clairs et changeants. Mais jamais je ne vais par-là. Adieu.

Et, m'ayant serré la main, avec un petit tremblement affectueusement ému dedans, il remit sa carabine, quittée un instant, le temps de faire une cigarette, sur son épaule, et s'en alla, en sifflotant un petit air du bout des lèvres, comme quelqu'un qui se veut absolument distraire d'un souvenir. «Bon! pensai-je.

Encore un qui a aimé et qui en souffre encore!» Et je pensai qu'il y a de bien jolies filles, dans ce pays de Saint-Sauveur, brune celle-ci avec des yeux en lumière d'émeraude, et celle-là toute vêtue de grâce pure, comme les vierges des Panathénées.

Comme le lendemain soir, à Lourdes, je contais ma rencontre à mon ami Romain Maumus, en buvant consciencieusement un des meilleurs vins de sa cave, et l'impression que j'avais ressentie en quittant le Nemrod bigourdan, Romain se mit à rire, de son bon rire clair que n'ont jamais mouillé les eaux miraculeuses de la grotte, et me dit:—Vous n'y êtes pas! Je sais pourquoi, moi, il ne chasse jamais du côté que vous lui aviez montré et où nous avons fait autrefois de si belles parties ensemble, et ce n'est pas, comme vous le croyez, pour une histoire d'amour.

Et se rapprochant de moi, de façon à ce que nul autre ne pût l'entendre, Romain me narra ce qui suit et ce que je reproduis le plus fidèlement que le permette mon souvenir, un peu troublé par l'admirable vin que je continuais à déguster, tout en écoutant.

Rien au monde n'est plus difficile, paraît-il, que la chasse à l'izard, à cause de la méfiance toute naturelle, à l'endroit de l'homme, de ce petit chevreuil pyrénéen, ne quittant jamais les montagnes les plus hautes, et certainement le plus sauvage de tous les gibiers. Outre d'admirables jambes, déliées comme des fils et nerveuses comme des arcs, et qui franchissent les précipices comme en un vol d'oiseau, l'izard possède, sous son petit front étroit et bas coupé de deux petites cornes luisantes, des yeux d'une puissance défiant les instruments eux-mêmes de l'Observatoire. Sur le fond, la montagne qui fait, avec des morceaux de ciel, tout son horizon, il distingue de très loin le moindre point qui bouge, et le premier soin du chasseur qui le poursuit doit être de se confondre avec les accidents de la nature, pour ne pas attirer son attention.

De cela donc, notre ami Rodolphe s'était avant tout préoccupé, et le souci qu'il apportait à la couleur neutre de son vêtement, où se retrouvaient les tons de granit roux et les caprices presque blancs de la pierre, n'avait jamais eu d'autre but. Une expérience souvent répétée le convainquit que cette lutte avec les fantaisies picturales de la montagne ne pouvait aboutir qu'à une défaite. Se perdre dans la tonalité générale de la montagne! Mais elle était tout à l'heure violette comme une immense améthyste, et la voici teintée de jaune clair comme un champ qu'on moissonnera demain. Cette cime qui n'était, il n'y a qu'un instant, qu'une flèche de saphyr, est maintenant pareille à un bouton de rose! C'est la palette tout entière du soleil qui s'exerce sur la montagne, et voilà pourquoi elle est, au fond, cent fois plus diverse que la mer, et plus ressemblante à madame Protée. De quelque façon qu'il s'y prenne, l'homme qui s'était assorti à sa couleur fait maintenant tache sur elle.

Sentant donc le problème insoluble, notre ami Rodolphe fit une nouvelle fouille dans son naturel génie et trouva infiniment mieux. Ce n'était pas à la montagne qu'il fallait ressembler, mais à un autre izard, ces animaux pacifiques ne se défiant pas les uns des autres. Et, laborieusement, il se mit à rechercher pour le ton des étoffes qu'il adopterait pour son costume de chasse, le ton exact de la robe de son gibier et du poil de sa victime. Il essaya toutes les laines des moutons de divers pelages, sans arriver à l'identité qu'il rêvait. Il y avait toujours, dans la fourrure de l'izard, une pointe de rouge qu'il n'arrivait pas à donner à son propre habit. Un instant, il crut avoir trouvé; mais la découverte faillit lui être funeste. Il avait eu l'idée de mêler un peu de poil de renard très roux, comme vous le savez, au tissu de son molleton. C'était parfait comme couleur. Mais il n'avait pas pensé que l'odeur persistante du renard, dont le fumet est le plus terrible du monde, a un effet immédiatement diurétique sur les chiens. Le premier jour où il fit son essai, tous les chiens de la région accoururent à ses talons et se mirent à «compisser fort aigrement», comme dit Rabelais au chapitre III de *Pantagruel,* son pantalon. Impossible de se défendre de ce bain de pieds chaud et parfumé! Une première meute se forma à Lutz, dont il partait, laquelle s'enrichit, en chemin, de celle de Saint-Sauveur, de Saligos, de Pierrefitte, d'Argelès, si bien qu'il traînait un régiment de gentilshommes uriniers à ses trousses et qu'il n'était si petit roquet, dans toute la région, qui ne tint à honneur de grossir le cortège et de venir apporter sa goutte au déluge dont ruisselaient ses souliers. Il fallut que notre ami Chaigne, en ce moment-là encore procureur de la République à Lourdes, envoyât un peloton de gendarmerie départementale à son secours. Le changement d'arôme dépista assez les chiens pour que la maréchaussée n'eût pas à sabrer les délinquants qui firent une retraite en bon ordre et rentrèrent tranquillement chez eux, la queue en trompette, sans en sonner, toutefois, pour simuler un rendez-vous de chasse.

Notre ami Rodolphe, qui en fut quitte pour un fort rhume de cerveau, ne se découragea pas.

—Au fait, se dit-il, qu'est-ce qui peut ressembler plus à la peau de l'izard qu'une étoffe tissée de son poil même?

Oui, mais voyez la difficulté de tisser des poils aussi courts et menus! Notre ami trouva cependant un tisserand assez habile pour mêler un nombre considérable de ces fils précieux et vivants à la trame du nouveau vêtement que se fit faire le chasseur pour se rendre invisible à son ennemi. Et c'est ici que l'attendrissement du drame vient se mêler aux gaietés de la comédie. Le jour même où il inaugura ce nouveau et perfide uniforme, Rodolphe alla chasser du côté où vous l'engagiez, hier, à aller poursuivre son gibier favori. Après une journée tout entière d'embuscades inutiles et de vaines embûches, s'étant réconforté d'un verre de délicieux genièvre qu'il fabrique lui-même dans son laboratoire municipal de Barèges, il s'endormit dans un coin charmant de montagne, sous une caresse bleue du ciel où filtraient quelques larmes d'étoiles, au bord d'un tout petit torrent qui lui chantait une berceuse argentine, au milieu de grands iris sauvages, d'un bleu éclatant, et qui se balançaient autour de son visage au moindre souffle, comme des éventails embaumés. O la délicieuse nuit de pasteur chaldéen, sous le regard ému de la lune! Une fraîcheur étrange, pénétrante, comme d'un baiser discret, avec un arôme de fleurs des montagnes, attiédi par une haleine, le réveilla très doucement, à la première lumière rose du matin. Et de ses yeux, de ses yeux bons enfants, il vit un izard, un véritable izard, qui, trompé par l'illusion si complète de son costume, passant sur l'absence de cornes indiquant les moeurs célibataires de notre ami, le prenait pour un collègue et le flairait affectueusement pour l'inviter, sans doute, à déjeuner avec lui en broutant le thym du voisinage. Ah! Rodolphe eut un premier sursaut de chasseur qui lui fit poser tout doucement la main sur sa carabine. Mais il eut honte bien vite de ce mauvais et lâche mouvement a l'endroit d'un camarade si confiant. Pour s'excuser, il essaya même de bêler un peu à la mode izardine, mais ses longues moustaches altérèrent la pureté du son, et l'izard s'éloigna prestement, en reconnaissant, avec une loyauté parfaite, qu'il s'était trompé.

Mais maintenant, pour rien au monde, vous ne décideriez notre ami Rodolphe à aller tirer l'izard dans cette région pyrénéenne. Il a trop peur de tuer son ami!

DÉMOCRATIE

DÉMOCRATIE

Il y avait assez longtemps que le département désirait avoir sa statue de grand homme comme tous les autres. Le malheur est qu'il n'avait pas produit de grands hommes. Après avoir épuisé tous les Bottins historiques, on pensa à l'annuaire de l'Académie française. On y trouva, sans peine, une quinzaine de compatriotes qui y avaient tenu un siège depuis la fondation Richelieu, et qui semblaient, d'ailleurs, y avoir couru le record de l'obscurité. On fit un tri parmi ces nébuleuses. Les nommés Landouillet, Puy-Bavard et Rocantin demeurèrent sur le volet. Landouillet avait écrit des vers; Puy-Bavard de la prose, et Rocantin rien du tout. Comme de son vivant, ce fut ce qui lui valut d'être élu une seconde fois, pour l'immortalité. Il sortit deux fois de suite au doigt mouillé et trois fois au zanzibar. La volonté du destin était claire, l'intention de la Providence formelle. Un marbre fut commandé au sculpteur Michalou qui n'avait jamais eu aucune récompense, mais qui était du département. Il représenta l'illustre Rocantin portant à sa bouche un rameau de laurier qui ressemblait à une branche de persil. Et il souriait débonnairement à la postérité, comme pour dire: «Vous voyez que, malgré mon habit vert, mon nez crochu et mon air suffisant, je ne suis pas comme tout le monde le pourrait croire, un perroquet.»

Or, le jour de l'inauguration solennelle était venue et M. le préfet était sur les dents, ayant fait grandement les choses. Concours de gymnastique, jeux académiques et vaguement floraux, tir à la carabine, essais de pompes, record de cyclistes, rien n'y manquait. Un véritable apéritif aux jeux olympiques dont on nous promet la résurrection.

Et Mme la Préfète avait dit au godelureau des Andives, surnuméraire de l'enregistrement et qui se mourait d'amour pour elle, en pure perte, croyez-le bien, car la femme d'un fonctionnaire de ce rang ne doit même pas être soupçonnée: «Anatole, si vous le voulez, nous occuperons le temps, pendant que mon mari fera à ses hôtes campagnards les honneurs du musée où il n'y a d'ailleurs aucun tableau, à une rêverie, au fond du parc, près de la fontaine.» C'était le coin le plus charmant et le plus mystérieux du grand jardin de la Préfecture. Le godelureau Anatole des Andives crut que l'heure du berger sonnait pour lui et faillit s'évanouir de joie. Petit fat! L'amour qu'une honnête femme inspire ne doit-il pas être autrement immatériel et quintessencié! On vous promettait, monsieur, une promenade à deux, avec peut-être, me votre bras, la plus jolie main de femme de l'Administration Française, à l'heure crépusculaire où les vers luisants allument leurs intestinales lanternes pour faire croire aux étoiles que la terre est un ciel aussi, dans l'embaumement des parterres voisins tout, fleuris de roses aux pétales retroussés, à l'ombre tutélaire, mais déjà lointaine, d'un bâtiment civil, et cette perspective enchanteresse ne vous suffit pas!

En vérité, on ne sait plus ce qu'il faut aux jeunes gens d'aujourd'hui.

Huit discours, pas un de moins, avaient été prononcés. Le néant littéraire de Rocantin avait été magnifié sous toutes les formes. Mais, de l'avis de toutes les dames surtout, la palme de ce concours oratoire revenait à l'inspecteur général de l'Instruction primaire Ledodu, enfant du pays aussi, qui venait triompher dans son berceau, après en être sorti chaussé des légendaires sabots dont tant de gens ont mangé la paille déjà qu'ils doivent être bien durs aujourd'hui. Un bon gros homme, comme la vie politique nous en a montré un, il n'y a pas longtemps encore, souriant à lui-même, franchement vaniteux, ayant gardé l'air pion que ne dépouillent jamais ceux qui ont bourré de pensums la studieuse jeunesse, bon prince au demeurant, tenant beaucoup de place sur le globe, mais pas cependant peut-être assez pour le faire tourner rien qu'en marchant. Il félicita, dans un heureux parallèle, le pays qui avait produit, à moins de deux siècles de distance, deux hommes comme Rocantin et lui. On eût dit que c'était de sa propre statue qu'il parlait déjà. M. le préfet l'embrassa comme le plus pur gruau, quand il eut fini, et cette accolade, saluée de bans et de vivats unanimes, fut une conclusion magnifique à ce débordement d'éloquence provinciale dont les oiseaux eux-mêmes étaient incommodés sur les arbustes dépouillés de la place qu'enveloppait une tiède poussière chargée de parfums humains.

C'était le moment de la visite aux collections artistiques et scientifiques du chef-lieu que la municipalité venait d'enrichir de deux autographes de Rocantin, dont une note de son linge sale complètement écrite de sa main. M. le préfet dirigeait le cortège, prenant affectueusement le bras de chacune des autorités, tour à tour, comme pour sceller, aux yeux des populations, l'accord de toutes les branches de notre puissante administration. Mais quand il chercha le cubitus de Ledodu, pour y poser un instant son gant blanc, Ledodu avait disparu.

Et où était-il allé, je vous prie?

Justement, dans le coin du parc où était la fontaine, sous les ombrages mêmes où Mme la Préfète, tendrement sévère, cruellement indulgente, faisait de la morale, mais une morale très douce, au godelureau des Andives, qui s'émancipait. Flirt délicieux, au demeurant, autant qu'irréprochable, que le leur. Car il avait pour décor d'odorants berceaux de verdure et, pour accompagnement, l'orchestre des fauvettes et des rossignols qui, pour les amoureux bien sages, gardent leurs plus belles chansons.

Mais quelle note soudaine, discordante et plusieurs fois répétée dans ce concert?

Eole, mêlant sa voix au dialogue divin de Roméo et de Juliette, Crépitus donnant, à Héro et à Léandre, son opinion sur leur tendresse.

Quelque méchant faune raillard, sans doute, qui, avec malhonnêteté, faisait bruyamment se fendre l'écorce de l'arbre où il avait élu domicile; ou encore quelque Hamadryade laissant éclater son beau rire sonore à travers une bulle d'écume bleue cueillie, au bout d'un pipeau, en passant près de la fontaine; ou peut-être la nymphe Écho attardée, après un entretien trop long, avec des gens indiscrets.

Non! tout simplement ce sacré Ledodu, qui avait remplacé, à son déjeuner, les cailloux de Démosthènes par d'excellents haricots de Montastruc—ce Soissons languedocien,—particulièrement bavards; et qui, par un sentiment tout à son honneur, avait cherché la solitude pour cette seconde partie de son discours.

Du coup, Mme la Préfète, bien que fille d'un colonel d'artillerie, devint rouge comme une belle pivoine, et le godelureau Anatole des Andives pâle comme un narcisse. D'un commun accord, tous les deux fermèrent le livre des tendres confidences et, silencieusement, pour se purifier l'ouïe, rentrèrent à l'hôtel de la préfecture, véhémentement indignés contre le destin.

Mme la Préfète, surtout, l'avouerai-je. Bien que parfaitement décidée, comme il convient à une vertueuse épouse, à ne rien accorder à son platonique galant, il lui avait tout à fait déplu que celui-ci fût interrompu, par une ridicule musique, en pleine déclaration. Une femme est toujours furieuse quand on lui vole un peu de l'occasion de nous faire souffrir. Et sa colère ne s'adressait pas inutilement aux dieux, car elle avait fort bien aperçu, dans le mystérieux enlacement des taillis, l'auteur de cette malencontreuse symphonie en plein vent, si j'ose m'exprimer ainsi.

Quel redoublement de fureur n'eut-elle donc pas quand, au banquet d'honneur qui suivit la visite du musée, elle vit que son mari avait précisément mis à sa gauche, à elle, ce musical Ledodu. Le repas fut magnifique et elle sut contenir son courroux pendant toute sa durée, pleine d'hypocrites attentions et d'ironiques soins pour son cruel voisin.

Au dessert, M. le Préfet se leva et porta un toast à l'avènement des couches nouvelles, proclamant que la bourgeoisie contemporaine dépassait déjà, de cent coudées, par l'urbanité, le bon ton et la distinction des manières, celle des preux et les rejetons des croisés, ce qui promettait pour la bourgeoisie à venir.

—Ce que dit votre mari est infiniment juste, affirma M. Ledodu, en se penchant vers Mme la Préfète, avec son plus gracieux sourire. Ainsi, moi qui vous parle, Madame, auriez-vous jamais deviné que mon père était boucher?

—Ça, non! Monsieur, répondit avec conviction Mme la Préfète.

PASIE

PASIE

Pour Aspasie, vraisemblablement, et croyez bien que ce n'était pas son vrai nom. J'ai su, depuis, qu'elle s'appelait Sidonie Lascoumette. Elle portait un front perdu dans le bouillonnement fauve de ses cheveux; des coulées d'or traversaient ses yeux bruns; le nez droit et toujours frémissant aux narines, n'avait aucune des irrégularités charmantes qui impliquent la bonté; un peu charnues, les lèvres s'ouvraient sur de petites dents blanches et coupantes; une fossette trouait le menton césarien que soutenait un cou un peu large s'épanouissant, sans brisures, aux épaules. Par prudence, arrêterai-je là son signalement. Au moral, elle était tout à fait dépourvue d'esprit. Qu'en avait-elle, d'ailleurs, besoin? Avec un peu de génie seulement, une telle femme eût bouleversé le monde. Mais elle n'avait pas plus de génie que d'esprit.

Bête comme une oie, alors? Vous exagérez sensiblement. On ne s'ennuyait pas avec elle. C'est l'essentiel, n'est-ce pas? Il est vrai qu'on ne s'ennuie pas non plus avec une oie quand elle est tendre et ingénieusement farcie par un cuisinier consciencieux. J'en étais, pour ma part, très amoureux, et n'éprouvais à cela qu'un petit ennui, celui de contrarier beaucoup mon camarade Peyrolade, qui n'en était pas moins amoureux que moi, et qu'à regret je voyais berner par cette jolie drôlesse qui me gardait toutes ses faveurs. J'en étais, à la fois, flatté et humilié, car il lui avait fait la cour bien avant moi. J'avais précisément dans ma poche un billet d'elle, un rendez-vous pour dix heures. Charmant, ce billet, et plein de promesses, mais empoisonné par mon amitié. Elle y blaguait encore ce malheureux Peyrolade. Ah! que les femmes sont peu généreuses quand elles n'aiment pas!

Il n'est pas d'heure plus lente à venir que celle dite du Berger. Je me l'imagine traînant, après soi, un troupeau d'impatiences et de doutes sur un chemin très montant, vers une étoile qui va toujours s'enfonçant plus profondément dans l'azur. Ce que le temps me devait paraître long jusqu'à dix heures! Une circonstance insignifiante en apparence en compliquait encore l'emploi. Je n'osai aller, comme tous les jours, le tuer au café où j'avais mes habitudes. C'était aussi celui de Peyrolade et j'avais quelque honte à le rencontrer au moment de lui faire une crasse. Et puis, j'aurais eu à lui inventer quelque mensonge expliquant mon départ avant l'heure accoutumée. L'innocent, il était déjà, sans doute, à m'attendre assis derrière le joli quadrilatère de drap vert et les cartes apprêtées pour la manille coutumière. Demain, j'aurais certainement à lui donner des explications. Mais mon imposture était retardée de quelques heures.

Je me mis donc à arpenter les allées Lafayette—car nous sommes à Toulouse—le gaz commençant à clignoter dans les rues transversales, des nappes circulaires de lumière blanche tombant, par places, sur le sable estompé de bleu aux contours. Les mélancolies du soir descendaient des feuillages déjà frissonnants sous un souffle automnal et, tout au bout, un carrousel de chevaux de bois tournait aux sons énervants d'un orchestre barbaresque. La monotonie de ces allées et venues trompant mal mon impatience, je pris le parti d'entrer dans un simple estaminet qui avait l'avantage d'être très voisin de la demeure de Pasie. J'y lisais les journaux parmi des inconnus. Par une fatalité touchant à l'invraisemblance, c'est Peyrolade que j'y aperçus, le premier, tournant le dos fort heureusement à la porte... plus un ami commun qui me le montra, pendant que je lui faisais: chut!—Êtes-vous donc brouillé avec lui? me demanda-t-il.—Non! fus-je obligé de lui répondre, mais je ne veux pas qu'il me voie ici. Puis, n'osant sortir, de crainte de le faire retourner, je me renfrognai dans un coin. Quand il se lèverait pour partir, je plongerais mon visage entre mes mains, comme un homme qui fait semblant de penser.

Mais je t'en fiche! Mon gaillard était bien là pour un bon moment. Je vis son pardessus à une patère, son pardessus qu'il avait remis au garçon pour se mieux installer. Le diable soit des piliers d'estaminet! Jamais je ne fis de plus salutaires réflexions sur la dignité de la vie chez soi, au coin d'un bon feu, entre le ronronnement d'un chat familier et le tic-tac de l'horloge qui vient des grands-parents, dans son armoire de noyer pareille à un cercueil. Les brumes du soir sont mauvaises à tout le monde, et Peyrolade n'avait déjà pas une si bonne santé.

Je m'étais assis, lui tournant aussi le dos; je m'étais fait servir une consommation chimérique et un journal que je ne lisais pas, mais qui me servirait de paravent, et le supplice commença pour moi, le voyant rester, de ne plus oser sortir. Je le voyais déjà brusquement changé de sens et me criant de sa bonne voix joyeuse: «Eh! où vas-tu?» Ce n'est vraiment pas la peine d'être un honnête homme pour souffrir toutes les angoisses d'un malfaiteur qui se sent filé.

Et il était dix heures moins cinq; et je l'entendais toujours pérorer derrière moi; et il fallait bien pourtant se décider à se lever. Je ne pouvais pas cependant renoncer au seul bonheur qui soit au monde, parce qu'il avait plu à cet animal de venir s'asphyxier, dans l'ignoble fumée des bières et des cigarettes, ailleurs qu'à l'endroit accoutumé?

Sortir de trois quarts, en détournant la tête, en profitant même du revêtissement obligatoire—car, moi aussi, ne voulant pas mourir étouffé dans ce taudis, j'avais déposé mon paletot—pour engloutir son profil perdu dans un collet. Ce fut mon plan.—Mon paletot! fis-je au garçon, en donnant à ma voix un léger accent marseillais qui dut aggraver encore, d'un vague relent d'ail, les parfums déjà très composés de la pièce. L'esclave aux escarpins traînant dans la sciure de bois obéit. Toujours sans regarder, je me dressai; je plantai un bras dans l'une des manches du paletot et je fis une demi-pirouette dans le sens de la sortie, tandis que le vêtement, lui-même, accomplissait une révolution autour de moi pour me tendre son autre manche. Le succès fut complet! J'avais disparu momentanément dans un tourbillon de draps, comme un oiseau disparaît dans l'élargissement de ses ailes au moment de l'envolée. Il me semblait que je sortais d'un cachot et que c'était l'âme de Latude qu'on délivrait en moi. Le brouillard léger qui avait prêté ses ailes de gaz au crépuscule s'était dissipé. Une belle nuit d'automne, comme elles sont là-bas, pleines de petits astres semblant des grains de givre semés, par une invisible main, dans une coupe de lapis. J'étais, je l'ai dit, tout près de Pasie. La route me parut délicieuse et faite de fraîcheur apéritive. Que ce serait doux et charmant, dans quelques instants! Il semblait que l'arome des dernières roses mourantes dans la chambre tiède, parvint jusqu'à moi et m'indiquât le chemin que je savais pourtant si bien!

Dix heures sonnaient aux couvents perchés sur les collines, aux fenêtres éteintes déjà. Au dernier réverbère, avant de toucher au seuil de la bien-aimée, je pris machinalement, dans la poche de mon pardessus, le billet qu'elle m'avait écrit, pour me bien assurer de mon bonheur et en relire les derniers mots, tant j'avais peur de vivre dans un rêve.

Hein! je n'en croyais plus mes yeux! Comment m'étais-je trompé à ce point? Mon impatience m'avait donné la berlue. Je n'étais attendu qu'à onze heures!

L'heure du Berger avait emmené plus loin encore son troupeau.

Oh! ce que cette heure me parut composée de soixante siècles, tous glorieusement chargés d'historiques événements! Il me parut que Salomon, Charlemagne et Louis XIV auraient pu y trouver la place de leurs longs et mémorables règnes! Les secondes s'allongeaient interminables. Je les traînai jusqu'au bord de la Garonne qui courait, sous son pont à dos d'âne, dans un scintillement d'or, entre les quais d'où montaient des chansons attardées, vers les dômes jumeaux de la Daurade et de la Dalbade, païennement assises au bord du fleuve. A onze heures moins dix seulement, je quittai cette contemplation véhémente des écumes venant émousser d'argent les plus basses pierres des piles. Onze heures, enfin! Je touchais la porte de Pasie, quand un animal se jeta à travers moi.—Idiot!—Crétin! Nous nous étions déjà reconnus, au seul timbre de nos voix, je l'espère. Cet animal, c'était Peyrolade.

—Alors, tu me mouchardes?

—Alors, tu entends m'empêcher d'aller à mes affaires?

—Tant pis pour toi. Eh bien! je vais chez Pasie qui m'attend. Ouf!

—Moi aussi, fit Peyrolade, lis, plutôt....

Et il me tendit un chiffon de papier dont je reconnus immédiatement l'écriture. C'était aussi un rendez-vous de Pasie, mais pour dix heures, celui-là.

—Et je suis en retard d'une heure, continua Peyrolade, parce qu'un bougre m'a triché à la manille. Donc, bonsoir!

J'étais abasourdi.

Une fenêtre de Pasie s'étant subitement éclairée, il se fit, dans la rue, plus de lumière, et je remarquai, avec stupeur, que Peyrolade avait mon paletot. Par un juste retour sur moi-même, je dus constater que j'avais le sien. Le garçon s'était trompé en nous les rendant. C'est le rendez-vous de Peyrolade que je traînais depuis une heure dans ma poche. Notre commune amie m'avait attendu à dix heures et l'attendait à onze.

Silencieusement nous nous serrâmes les mains.

Oh! que M. Bérenger aura donc de peine à décider les dames à n'avoir qu'un amoureux!

L'ORAGE

L'ORAGE

A B. Marcel.

Je l'ai revu, ce coin charmant de Croix-Daurade, le seul un peu boisé de la banlieue Toulousaine et qui offre l'ombre de ses ramiers, comme on dit là-bas, aux promeneurs que les chaudes haleines de l'autan chassent de la Cité. J'ai contourné le Mont Aventin qui domine, de ce côté, la Rome Languedocienne, et où se dresse l'héroïque colonne qu'enveloppe, la nuit, un si grand silence bercé par l'ondoiement léger des cyprès du cimetière, et par la rue faubourienne que bordent des maisons basses vêtues de brique rose, je suis parvenu jusqu'aux haies touffues enfermant les petites propriétés, d'où émerge l'inégale frondaison des acacias. Et plus loin, c'est un enchevêtrement de ronces autour de jardins à peine cultivés, ayant pour seuils des carrés de vignes très ravagés des polissons, et toujours vendangés bien avant le temps des vendanges. Et, comme j'accomplissais ce pèlerinage au pays de mes plus vieux souvenirs, le soleil couchant rayait de pourpre les horizons et allumait comme un incendie aux dômes de pierre ondulant dans la lumière poudreuse dont la ville était enveloppée déjà.

Et, sur mon chemin, montueux par endroits, pierreux partout, de belles filles passaient, toutes ayant un air de famille, très brunes, avec des retroussis de cheveux noirs sur leurs nuques ambrées, riantes à pleines dents blanches, portant sur leur front étroit tout l'orgueil du sang latin, le cou et les hanches un peu épais comme ceux des vierges des Panathénées, fières et moqueuses, toutes une fleur au corsage et une raillerie aux lèvres, et je pensai que Marinette était ainsi. Qui donc, Marinette? Ah! ne me demandez pas son vrai nom. Je n'ai jamais connu que celui-là. La fillette, très brune et très moqueuse, dont je me croyais absolument épris, quand je venais passer, dans ce paysage, mes vacances de collégien. Épris comme peut l'être un garçonnet très timide auprès d'une créature dévotement élevée par d'honnêtes parents et qui était sage encore, par pure terreur de l'enfer, au sujet de quoi je n'étais pas, d'ailleurs, moi-même, absolument rassuré. Car, en ce temps-là, ma vieille tante ne m'eût pas laissé manquer la messe, et, pour être franc jusqu'au bout dans ce lambeau de confession, c'est à l'église, le dimanche, en la regardant penchée sur son livre, qu'elle faisait semblant de lire avec une délicieuse hypocrisie, que j'étais devenu amoureux de Marinette, au bruit de l'orgue et dans la fumée bleue des encens qui lui mettaient comme une auréole.

Bien entendu que nous croyions faire un gros péché on nous voyant en secret, pendant la semaine. Sans cela, y aurions-nous trouvé tant de charme? Moi peut-être qui, très sincèrement, trouvais une joie infinie, toute païenne, chastement voluptueuse à respirer ce parfum de jeunesse en fleur et d'une fleur déjà presque en épanouissement de beauté. Car, dans les pays du soleil, les jeunes filles sont plus tôt femmes, et maintenant que je me remémore Marinette, il me semble que mon platonisme, si doux d'ailleurs, frisait le ridicule et pouvait compter pour une débauche de respect. Elle ne chercha plus à me revoir ensuite, ce qui me fait vaguement craindre qu'elle ne m'ait pris pour un incorrigible serin. En quoi elle s'est trompée. Car je me suis parfaitement enhardi, dans la suite du temps, et n'ai pas envie de m'en repentir.

Donc, nous nous cachions, croyant mal faire, et n'y trouvant, elle du moins, que plus de plaisir. Comme ses parents, peu aisés, lui donnaient souvent des courses à faire, le soir, et qu'on ne me chicanait pas, moi-même, sur l'heure de mes promenades, c'est le soleil couché que nous nous rencontrions le plus souvent, et jamais par hasard, moi très ému en me retrouvant auprès d'elle, elle gaie comme un pinson et trouvant à me taquiner des délices infinies. Je lui contais très sérieusement ma tendresse; je lui donnais les fleurs cueillies, le jour même, et, le diable m'emporte, je lui lisais mes premiers vers inspirés par elle. Du tout elle s'amusait, en bonne fille, avec une troublante appréhension d'au-delà dans son regard sombre et perçant tout ensemble, tel une flèche empennée de velours. Et je buvais son haleine quand elle laissait ma tête se rapprocher de la sienne, le pollen tiède de sa joue—tel celui de l'aile d'un papillon ou le duvet d'une pêche—me mettant un frémissement à la joue.

Or, il avait fait ce jour-là, une chaleur comme celles que nous traversons en ces premiers jours de septembre, et la nuit était venue, admirablement translucide et caressée de souffles tièdes encore; le ciel, admirablement pur, d'un bleu très sombre, semblait un immense lapis-lazuli aux cassures d'argent, égratigné parfois subitement par la course de quelque étoile filante. Et jamais une telle sérénité de beau temps n'avait engagé aux promenades lointaines sous cette haleine caressante où mouraient, en même temps que les derniers parfums des roses sauvages, les dernières rumeurs du jour. Et nous étions allés, Marinette et moi, plus loin que de coutume, dans un enchevêtrement plus mystérieux de feuillages, et sous de plus lointains enlacements de vignes, jusqu'aux bords mystérieux d'une fontaine presque tarie et qui ne coulait plus que goutte à goutte, comme un bruit de larmes à demi consolées. Et jamais je ne m'étais senti plus troublé près d'elle, et jamais elle ne m'avait paru écouter avec un recueillement aussi attendri mes paroles d'amour. Nous nous étions vraiment perdus dans un dédale de frondaisons qui nous enveloppait délicieusement du frémissement de ses ténèbres.

Qu'avais-je dit à Marinette et pourquoi étions-nous silencieux depuis un instant, quand cette ombre fut rayée d'une vive lueur?—Un éclair, fit ma petite amie. Et comme j'allais, à mon tour, la railler, toute idée d'orage me semblant ridicule sous la sérénité d'horizon que nous venions de quitter, un roulement étrange se fit entendre, et quand Marinette répéta d'une voix déjà tremblante:—Le tonnerre! je n'eus plus aucune envie de me moquer d'elle. D'autant qu'une seconde clarté subite passa dans les branches que suivit un grondement plus caractéristique encore que le premier. Comme nous restions atterrés tous les deux, une troisième lampée de feu dévora l'ombre et un troisième mugissement d'éléments déchaînés épouvanta le silence qui nous était si doux.

—L'orage! l'orage! fit Marinette d'une voix affolée. Et je suis tête nue, et je n'ai rien à jeter sur mes épaules!

Et, s'arrachant de mes bras, tout éperdue, elle traversa les ronces en y déchirant peut-être ses jolis bras, malgré mes efforts pour la retenir, malgré mes supplications. Moins adroit qu'elle, pendant d'ailleurs que les flammes intermittentes continuaient se rapprochant de notre retraite, et aussi ces bruits de foudre devenus étourdissants, je ne pus me dégager aussi rapidement de ce dédale de feuillages et, quand je me retrouvai sur le chemin, le visage cinglé par les églantiers défleuris, elle avait disparu; en vain mes regards fouillèrent l'espace pour retrouver sa trace, bien que, par une nouvelle surprise, par un second enchantement aussi inexplicable que le premier, le temps fût d'une limpidité admirable, l'atmosphère merveilleusement lumineuse et le paysage, éclairé presque comme en plein jour, par le scintillement des étoiles et le rayonnement majestueux de la lune. Alors, ce faux orage que j'entendais encore cependant gronder sous les feuillées désertées? Je ne fus pas éloigné de croire, avec un peu de présomption sans doute, que le ciel était venu, ce soir-là, au secours de la vertu de Marinette. Et franchement, je lui en voulais un peu.

Je passai une nuit déplorable, après avoir vainement tenté de la rejoindre, très las de cette course folle, hanté de mille visions bêtes, tourmenté de désirs vagues et aussi de quelques remords inquiétants pour mon salut. Je dus dire un *Pater* et un *Ave* pour désarmer le courroux évident du ciel contre mes concupiscences innocentes pourtant d'adolescent.

Le lendemain, à déjeuner, ma vieille tante, qui était fort gourmande, avait un air singulièrement réjoui, comme lorsqu'un plat très à son goût figurait sur le menu familial. Et, de fait, elle ne put retenir son admiration expansive, quand la cuisinière, en personne, apporta, sur la table, un véritable Hymalaya d'escargots dont je me détournai personnellement avec horreur, n'ayant jamais pu vaincre mon dégoût irraisonné pour ce comestible bon enfant dont on fait grand cas dans les environs de Toulouse.

—Des escargots! Et comme ceux-là, en pleine sécheresse! s'écriait l'excellente vieille en pourléchant ses babines légèrement moustachues par le fait des ans.

Et, comme je demeurais visiblement insensible à cette joie, elle voulut, du moins, m'intéresser au côté miraculeux de cet événement.

—Ce Rodamour est tout simplement un homme de génie! poursuivit-elle avec enthousiasme.

Or, Rodamour était le jardinier qu'elle trouvait ordinairement bête comme une oie.

Donc, voici, comme elle me le conta un instant après, ce que ce Rodamour avait imaginé. Ayant remarqué que les escargots, dont les retraites sont invisibles absolument pendant le beau temps, en sortaient au moindre bruit d'orage, assoiffés de l'ondée qui allait suivre le tonnerre et les éclairs, il avait inventé les préludes d'un orage artificiel, en balançant rapidement, sous les feuillées, une lanterne qu'il cachait ensuite rapidement sous son manteau, de façon à ne donner à cette lumineuse apparition que la durée d'un éclair, tandis que des gamins qui lui faisaient escorte exécutaient ensuite des roulements imitant la foudre sur des tambours de vingt-cinq sous. L'effet était immédiat. De derrière chaque branche, sortaient des paires de cornes inquiètes qui dénonçaient au chasseur la présence de son gibier.

Et voilà la musique de foire dont j'avais été dupe! Et, pour prix de mon amour mystifié, on m'offrait un plat qui me faisait dresser, sur ma tête, les cheveux d'horreur! Et ce plat-là me coûtait peut-être la tendresse éternelle de Marinette!

Ainsi pensai-je encore, avec un regain de rancune contre le destin, en quittant ce joli chemin de Croix-Daurade, mon premier calvaire passionnel en ce temps-là!

VIEUX AMIS

VIEUX AMIS

La petite ville était de celles où les fonctionnaires en retraite aiment à finir leurs jours, exagérément provinciale, avec un charme de tranquillité qui tentait, au passage, les voyageurs lassés et les amoureux fervents. Rien ne lui manquait des grâces départementales, un peu lointaines de Paris, qui font respirer à l'aise les Parisiens en vacances, avec des propos idylliques sur les lèvres. Un joli clocher roman aux teintes grises et dont les sonneries s'égrenaient à l'heure des *Angelus*, mélancoliques et joyeuses à la fois; une mairie qui avait été un vieux château féodal, enfouissant aujourd'hui ses pierres vaguement sculptées, sous des guirlandes de lierre; un mail longeant une rivière à l'eau courante, sous une double avenue de platanes aux feuilles doublées d'argent clair; un petit jardin de ville où les amateurs venaient chanter, par les belles soirées d'été. Ajoutez que la rivière était poissonneuse, navigable au loin entre de jolies haies de roseaux, et, ce qui ne gâte rien, que les filles du pays étaient belles, avec de riants et naïfs visages, les hommes affables et les commerçants aussi peu voleurs que possible. La vie était donc facile dans ce Paradis et il n'y avait rien d'étonnant à ce que les vieux militaires, hors d'emploi, y fissent leur dernière garnison terrestre, comme le capitaine

Landrimol et le capitaine Bidache qui, d'ailleurs, ne s'étaient guère quittés de leur vie.

Deux vieux braves, sortis des rangs, qui avaient commencé en Crimée, à gagner leurs premiers grades sur le même champ de bataille. Ils avaient conquis les autres dans le même régiment, lentement mais justement, et ils avaient été de la même promotion dans la Légion d'honneur; tous les deux demeurés aujourd'hui d'aspect violemment professionnel, dans leur redingote serrée à la taille et largement fleurie à la boutonnière, le petit chapeau sur l'oreille comme un képi les jours de crânerie ou de mauvaise humeur, et les moustaches en brosse jaunies au bord par la cigarette, telle la neige où ont fait pipi de petits chiens. On n'en eût pu faire cependant deux Ménechmes, car ils étaient inégalement conservés. Landrimol était demeuré un gaillard sec comme une trique, nerveux comme un cep de vigne, étonnamment vigoureux au fond et de belles ressources pour son âge. Par contre, Bidache avait pas mal grossi et roulait, sur ses petites jambes, un bedonnement qui lui donnait plutôt l'air d'un chapon du Mans que d'un bon coq.

C'était lui qui avait découvert cette oasis, quand l'oreille lui avait été fendue—ce qui avait demandé du temps, car il les avait longues—et qui, tout de suite, l'avait signalée à Landrimol comme l'olympique séjour où ils pourraient—tels les péripatéticiens—pérambuler, en commun, leurs dernières promenades. Tout de suite, ils avaient compris, dans sa plénitude, la vie de délices qui s'ouvrait devant eux, comme un jardin parfumé de roses automnales. La pêche à la ligne dans le même bateau, un peu loin dans la campagne, sans se parler de la journée pour ne pas effrayer le goujon; les parties de billard dans les cabarets des bourgs voisins, où la consommation coûte vingt centimes et où l'usage des boules d'ivoire sur le drap vert ne coûte rien; les absinthes voluptueuses sous les soleils couchants qui mêlent quelques rubis à leurs émeraudes; enfin, les bons souvenirs de campagne sur les bancs où l'on est assis l'un près de l'autre, mariant les fumées de ses pipes en un petit brouillard bleu où semble monter l'âme des heures passées.

Rien au monde était-il plus sage que ce programme et mieux réalisable?

Mais voilà! Bidache gâta tout. Sans comprendre ce que la vie ainsi recommencée avait d'exquis, n'annonça-t-il pas un jour, à Landrimol stupéfait, qu'il se mariait. Je dois dire que celui-ci—et c'est essentiel à la dignité de son caractère—jeta les hauts cris et fit ce qu'il put pour le détourner de ce stupide dessein. A son âge!—Nous avons le même, avait répondu Bidache, piqué.—Avec ce qui lui restait de santé!—Je ne me marie justement que pour être bien soigné et bien dorloté, avait répliqué Bidache avec conviction, pour avoir toujours des boutons à ma chemise et mon café au lait prêt à huit heures.—Et tu épouses?—Une des plus jolies filles du pays tout simplement. Et, cette fois, Bidache avait un sourire presque impertinent sous la paille grise de ses moustaches: on n'est pas parfait. Landrimol ne fit plus aucune objection et, dans l'éclair de franchise qui déchira la nuée d'émeraude des apéritifs pris en commun, il finit par trouver que son ami avait, au fond, raison. Et lui aussi,—on ne sait pourquoi—se mit a frisoter sa moustache d'un air conquérant.—Ça ne changera pas grand'chose à nos habitudes, mon vieux, lui dit Bidache comme conclusion et avec infiniment de bonhomie.—Parle pour toi, répondit Landrimol sur un faux air de reproche affectueux.

Et ce fut, ma foi, un mariage tout à fait joyeux que celui-là, par une belle journée de printemps où les oiseaux se poursuivaient dans les branches des platanes, devant l'église, d'où filtraient, par le porche entre-bâillé seulement, à cause des curieux, parmi l'odeur des roses grimpantes, un vague arôme d'encens, et les plaintes de l'orgue parmi les cris joyeux des passereaux énamourés. Quand le portail se rouvrit sur le cortège, les cierges flambant encore sous la nef, dans de petites vapeurs d'azur que rayaient largement, par places, des bandes de lumière colorées par les vitraux, semblaient une constellation prisonnière, un microcosme d'étoiles qui avaient fait quelque sottise et que le bon Dieu avait enfermées dans cette cage de pierre. Et Bidache avait dit vrai. L'épousée était une admirable personne délicieusement virginale dans sa toilette blanche, avec de beaux yeux bleus, qui regardaient sous le voile, et un sourire clair qui semblait suspendre, au tulle, quelques gouttes de lait. Comme il convenait, Landrimol avait été témoin de son ami, et développait, autour de la jeune femme, un peu de cette galanterie de bon goût qui demeure, avec l'héroïsme dans les combats, le secret des hommes de guerre. Madame Bidache paraissait enchantée de cette cour innocente et cependant audacieuse par instants, sans jamais excéder les règles de la courtoisie permise, et de la plus parfaite tenue.—Tu vois bien que j'ai eu raison! dit Bidache, enchanté, à son vieux camarade.—Absolument! répondit Landrimol, qui était volontiers monosyllabique dans ses Propos.

Et, en apparence, en effet, sauf à l'heure du dîner que Bidache faisait chez lui—mais encore invitait-il souvent Landrimol—et à l'heure du coucher que Bidache avait avancée dans un sentiment qu'on peut supposer bien naturel, rien ne sembla changé d'abord dans l'existence de nos deux amis. Les pêches dans le même bateau, les parties de billard dans les cabarets, les apéritifs dans la même fumée continuèrent à scander la double vie de ces deux héros. Cependant, arriva un moment où Landrimol parut quelque peu las de l'entretien de Bidache et il devint visiblement moins expansif. Il prenait un bateau à lui tout seul, refusait de jouer au billard, éloignait son verre de celui de Bidache dans les cafés. Il devenait brusque et narquois dans la causerie, et la brusquait volontiers au moment où son ami semblait y prendre le plus grand intérêt. Car à ce refroidissement très net dans les relations affectueuses, de la part de Landrimol, correspondait, comme presque toujours, un redoublement de tendresse de Bidache. Mais sacrédié! un vieux militaire a sa dignité. Il ne pouvait pourtant pas continuer à faire, tout seul, les frais d'une intimité qui semblait à charge à son partenaire. Avec une véritable douleur, au fond de l'âme, lui aussi devint hautain et sec. Un jour, ils se dirent: au revoir! comme de coutume. Mais le lendemain ils ne se revirent pas. Et le surlendemain non plus. C'était fini.

Le destin ne devait pas cependant leur permettre de s'oublier l'un l'autre, après une si longue et si fidèle amitié.

J'ai dit que Bidache, qui avait grossi, avait besoin d'un régime. Le médecin lui avait prescrit une promenade de trois heures tous les matins. Homme d'habitude, de discipline et de devoir, Bidache avait immédiatement organisé celle-ci d'après des lois immuables. Il partait de chez lui à cinq heures, prenait à droite, toujours par la même route, et rentrait ponctuellement à huit heures, pour son café au lait. Or, Landrimol, lui aussi, avait adopté un règlement matinal. Habitant sur la droite de la maison de Bidache, sur la route même que prenait celui-ci, il faisait, en partant à cinq heures un quart, un détour par derrière la petite ville, de façon à ne pas rencontrer son ancien ami. Dix minutes après on ne le rencontrait plus nulle part. Mais, à huit heures moins un quart, il revenait par le chemin que Bidache avait pris deux heures trois quarts auparavant, si bien que, comme celui-ci rentrait chez lui par la même voie, ils se rencontraient, en se croisant, toujours à la même place, à cent mètres de la maison de Bidache, à huit heures moins cinq.

Et Bidache, à qui ça faisait du mal de ne pas lui parler, se frottait les mains en le rencontrant, comme un homme à qui sa promenade hygiénique a fait grand bien, et qui se sent plus solide du bon air respiré. Et il lui criait de tout le souffle de ses poumons rajeunis:

—Hein! c'est bon, le matin!

—Excellent! lui répondait le monosyllabique Landrimol, en filant, et sur le même ton triomphant.

>br>

L'INVITÉ

Vous me permettrez, pour une fois, une pointe de gauloiserie. J'ai été bien sage depuis si longtemps! Et puis, Paris est rempli, en ce moment, d'étrangers très graves, et on y entend rire si peu qu'on s'y pourrait croire à Londres ou à Berlin. Et c'est bon de rire, quelquefois, à la mode des aïeux, voire des aïeules, qui étaient moins raffinées que nous en plaisanteries. Lisez plutôt les lettres écrites au grand siècle par de grandes dames! Je n'excéderai pas, d'ailleurs, un genre de gaieté qui fut familier à Molière. Deux circonstances atténuantes encore. Mon conte est miraculeusement scientifique, et l'aventure m'étant arrivée à moi-même, comme nous ne manquons jamais de le faire remarquer à Toulouse, est d'une parfaite authenticité.

Donc c'est moi, oui, moi, qui avais résolu d'aller déjeuner à l'improviste chez mon vieux camarade, l'explorateur Pipedru, de passage à Paris pour quelques jours. J'ai peu de sympathie, en général, pour ces hardis pionniers de la civilisation européenne, qui viennent troubler de tranquilles sauvages et leur offrent hypocritement des verroteries, ayant déjà, aux talons, les canons de la conquête. Je n'apprends jamais, sans quelque plaisir, qu'ils ont été dévorés par de sages cannibales. Mais mon vieux camarade Pipedru n'est pas de cette race d'oiseaux de proie au long vol. Il explore par curiosité, par amour de la science, et sans jamais commettre, à son retour, aucune indiscrétion au profit d'un gouvernement quelconque, de la France, surtout, dont il désapprouve hautement la politique coloniale, ne rêvant, le brave homme! que le retour des chères provinces perdues à la mère patrie! Un sympathique, vous le voyez. Et hospitalier! Vous ne sauriez croire sa joie quand je viens ainsi le surprendre, à l'heure du repas, dans son petit appartement de la rue Pigalle, lequel est un musée véritable où se pourraient instruire vingt générations.

On entre dans son cabinet de travail en traversant la salle à manger. Quand je le vis, ce jour-là, un seul couvert était sur la table déjà mise. Le sien certainement. Allons, tant mieux! Il n'y aura pas de fâcheux entre nous. J'ouvre brusquement la porte de son laborieux asile. Comme à l'ordinaire, il vient à moi, les deux mains ouvertes. Mais soudain, sa bonne figure, déjà très hâlée par les exotiques soleils, se rembrunit:—Tu ne viens pas déjeuner, au moins?—Mais si, et j'ai grand'faim.—Impossible aujourd'hui.—Comment cela?—J'ai un invité que je ne peux recevoir que seul. Tiens!... j'aurais cru, en voyant une seule assiette sur la nappe....

Pipedru referma la porte et, me forçant à m'asseoir, malgré ma mauvaise humeur:—Il n'est que onze heures, fit-il, et nous avons trois quarts d'heure avant son arrivée. C'en est assez pour m'excuser et te dire la mystérieuse raison qui m'empêche d'être, en même temps, votre amphitryon à tous les deux. Mais, d'abord, as-tu lu Darwin?—Un peu légèrement, avouai-je en reprenant ma sérénité en face de l'air bon enfant et sincère de Pipedru.

—Alors, continua-t-il, tu es de ceux qui lui reprochent d'avoir fait descendre l'homme du singe, ce qu'il n'a jamais dit. Ce pauvre Darwin, tant calomnié de ceux qui ne l'ont pas lu, ne fit qu'apporter sa petite pierre à l'édifice physiologique commencé par Maillet en 1748, poursuivi par Robinet en 1768, continué par Lamarck en 1809 et auquel Étienne-Geoffroy Saint-Hilaire a lui-même travaillé depuis. Darwin a infiniment plus parlé des pigeons que des hommes, et on ne sape pas les bases de la religion pour avoir affirmé que les cent cinquante variétés de pigeons qu'il a dénombrées n'avaient qu'un type originel: le bizet. Sais-tu maintenant en quoi consiste la «sélection naturelle», la plus belle découverte de son génie?—Vaguement.—Eh bien! c'est le principe, en vertu duquel, dans chaque espèce animale, les individus ayant une faculté particulière, et particulièrement robuste, font seuls souche durable, les autres succombant dans l'implacable lutte pour la vie qui est la loi terrible des êtres. Cette faculté, à laquelle ils doivent la supériorité qui leur permet de subsister parmi les ruines de leurs congénères, va s'exagérant chez leurs descendants, au point de devenir chez eux, plus que l'habitude même, une nouvelle nature.—En sorte que si, par l'exagération d'une habitude journalière, des hommes étaient arrivés à se créer artificiellement un besoin, ce besoin revivrait plus actif, plus impérieux, plus dominateur chez leur progéniture et pourrait devenir le signe caractéristique d'une race?— Parfaitement. Eh bien! maintenant que tu as compris, je puis te dire pourquoi je ne puis te garder à déjeuner. Mon invité, le premier insulaire de son lointain pays qui ait pénétré en Europe, fait prisonnier par un pasteur presbytérien à qui il a heureusement échappé, ne peut supporter d'autre convive avec lui parce qu'il appartient à la tribu des Arganautes.—Comprends pas.—Je vais te l'expliquer. Les Arganautes, qu'il faut bien se garder de confondre avec les compagnons de Jason à la conquête de la Toison d'Or, descendent d'un nommé Argan qui leur a donné son nom. Or, j'ai découvert que cet Argan n'est autre que celui dont notre grand Poquelin a parlé dans son *Malade imaginaire*, lequel Argan, étant huguenot, avait été exilé de France, à l'époque de la Révocation de l'Édit de Nantes, et était venu s'installer, par-delà les mers, dans une île lointaine, ce que Molière, par un bas sentiment de flatterie, s'était bien gardé de nous conter. Or, tu sais, comme moi, la manie de ce pauvre homme et qu'il avait coutume de compter les heures du jour par ses ablutions intérieures, renouvelant ainsi les merveilles de la clepsydre qui marquait, avec de l'eau, la fuite du temps. Cette passion pour les politesses hydrauliques de M. Fleurant devait, en vertu de la loi que je t'énonçais tout à l'heure, prendre chez ses descendants un développement tout à fait anormal. Et, en effet, le clystère était devenu, dans sa nombreuse postérité, le principe fondamental (c'est le mot propre) de toute alimentation et de toute gourmandise. Les facultés du goût s'étaient complètement déplacées chez cette race d'hommes, singulière, mais dont le teint est d'une fraîcheur et d'une beauté remarquables.

—Les repas devaient être singuliers.

—Mais ils se composent, comme chez nous, de plusieurs plats qu'on prend autrement, voilà tout. Les visages friands ne s'en épanouissent pas moins quand des parfums de vanille ou de chaudes odeurs de truffe montent des magnifiques appareils aquatiques dont les tables de famille sont surchargées. Nulle part même, je ne vis un tel luxe dans les services de table. J'assistai à un dîner officiel qui me donna tout à fait l'impression d'un concours de pompes à incendie en or. La menue vaisselle remplaçant la cuiller était en ambre, en turquoise et en saphir.

—Tu devais avoir une envie de rire....

—La moindre plaisanterie de mauvais goût m'eût coûté la vie. Les Arganautes, comme presque tous les hommes qu'a respectés le travail sacrilège de la civilisation, sont remarquablement doux et bons enfants. Mais il ne faut pas se ficher de leurs coutumes patriarcales. D'ailleurs, cela eût été d'autant plus déplacé de ma part, que j'étais leur invité.

—Comment, toi aussi!...

—Il convient, à un explorateur sérieux, d'adopter les coutumes de tous les peuples qu'il visite, au moins pendant la durée de son séjour. Les Romains étaient plus libéraux encore. Non contents de servir, à l'étranger, les dieux qu'on y adorait, ils les ramenaient à Rome et leur donnaient une place dans leur mythologique Panthéon.

—Et tu te fis à ce régime?...

—A contre-coeur, j'en conviens. C'est le mot ou jamais. C'est ce qui me fit même rester moins longtemps dans cette île, bien que la végétation y fût, tout naturellement, magnifique. J'y restai même d'autant moins que les gens, très hospitaliers de tempérament, me fêtèrent tout le temps comme un compatriote de leur ancêtre et que, là, l'abus des dîners en ville, sans m'exposer à une gastralgie, me parut, toutefois, particulièrement fatigant. Après un dernier toast à la santé du Roi....

—Comment, on trinque?

—A chaque service. Ce peuple, au cerveau toujours libre, est d'un extraordinaire entrain dans toutes les choses joyeuses de la vie. Mais va-t'en, il est onze heures et demie. Mon invité va arriver et ta présence le gênerait affreusement. Elle lui couperait certainement l'appétit.

J'avoue que ma curiosité à l'endroit de cet Arganaute était singulièrement piquée. N'étais-je pas, pour mon vieux camarade Pipedru, un autre lui-même? En me présentant comme son plus proche parent? J'insistai pour rester, pour être présenté à l'invité, pour déjeuner en sa compagnie. Mais Pipedru fut inflexible. Tout en me reconduisant doucement vers la porte:

—Je te dis que tu l'intimiderais. C'est une vraie sensitive. L'autre jour, ma bonne étant entrée un peu brusquement, il a failli mourir en avalant de travers.

Et il me fallut partir, sans avoir vu l'invité mystérieux de mon vieux camarade l'explorateur Pipedru. Le lendemain, d'ailleurs, le journal m'apprenait un accident affreux. En allant faire une visite au quatrième d'une des plus élégantes maisons du quartier Marigny, le malheureux Arganaute, entraîné par la force de l'habitude, avait avalé l'ascenseur et s'était broyé la mâchoire en tombant de dix mètres de haut dans la vide. Et, maintenant, toutes mes excuses, n'est-ce pas?

Milton Keynes UK
Ingram Content Group UK Ltd.
UKHW040625250324
439834UK00017B/236